Magie der Bloemen

Meer informatie over onze uitgaven?

Schrijf voor een gratis catalogus naar:

Uitgeverij Schors
Antwoordnummer 10709
1000 RA Amsterdam
(een postzegel is niet nodig)

Of bezoek onze website:
www.schors.nl

Eva Sawada

Magie der Bloemen

Uitgeverij Schors - Amsterdam

Verantwoording

De auteur heeft ernaar gestreefd alle risico's te vermelden die aan het kweken of aan het gebruik van de in dit boek opgenomen planten verbonden zijn. De auteur en de uitgever raden het nuttigen van de planten af zonder eerst een arts of een andere officiële bron te raadplegen. Lezers die op welke wijze dan ook met de besproken planten wensen te experimenteren, wordt geadviseerd eerst ervaren specialisten te raadplegen.

De in dit boek opgenomen informatie werd door de auteur en de uitgever zorgvuldig - en voor zover mogelijk - inhoudelijk getest en gecontroleerd. De auteur en de uitgever zijn derhalve op geen enkele wijze verantwoordelijk en/of aansprakelijk te stellen voor schade die eventueel uit het gebruik of misbruik van de in dit boek opgenomen informatie voorkomt. De informatie in dit boek is voor geïnteresseerden en mag geenszins als een instructie voor therapie of als een diagnose in medische zin worden opgevat.

Omslag- en boekontwerp: Rufus C. Camphausen
Fotografie: Christina & Rufus C. Camphausen

Copyright © 2000 Uitgeverij Schors - Amsterdam
ISBN 90 6378 448 1
NUGI 626
SBO 30

Inhoud

Anemoon

Amandel

Azalea

Een bloem is een bloem is een bloem …

Bloemen roepen vele associaties op: de één denkt aan de tulpen, narcissen en rozen bij de bloemist op de hoek, de ander heeft de geraniums en petunia's op het balkon voor ogen of de tropische flamingoplant in de woonkamer. Een sportieve wandelaar denkt aan de klaprozen, goudsbloemen en vlinderstruiken langs fiets- en wandelpaden en iemand met een kleine tuin houdt van heerlijk geurende bloesems zoals gardenia, jasmijn, kamperfoelie en engelentrompet.

Deze associaties met bloemen zijn uiteraard per persoon verschillend en over ervaring en smaak valt niet te twisten, maar eigenlijk geeft geen van deze visies een volledig beeld van het werkelijke karakter van een bloem. Daardoor zijn deze associaties, hoe persoonlijk en waardevol ze ook zijn, toch onvoldoende voor een werkelijk begrip van hun niet te bevatten schoonheid en bijvoorbeeld de mythologische en symbolische achtergronden, terwijl deze achtergronden juist de beleving van bloemen een extra dimensie geven.

Als wij naar bloemen kijken en erover nadenken wat bloemen eigenlijk zijn, moeten wij de botanische aspecten niet uit het oog verliezen. Het is daarbij van belang te beseffen dat de begrippen in de spreektaal soms misleidend kunnen zijn. Bloemen, kruiden, groenten en vruchten lijken op het eerste gezicht volledig verschillende plantensoorten, maar een botanicus denkt daar heel anders over. De botanicus weet dat er bijna een half miljoen soorten planten bestaan die bloemen of bloesems dragen en daarom 'bloeiende planten' of 'bloemplanten' worden genoemd. Of het nu het kleine gebroken hartje of de grote kokospalm is, de exotische paradijsvogelbloem of het geneeskrachtige sint-janskruid, de appelboom, de waterlelie of de gevaarlijke wolfskers – ze dragen allemaal bloemen.

Bloemplanten, aarde en mens

Bloeiende planten – wetenschappelijk bekend onder de naam bedektzadigen of *Angiospermae* – zijn de meest voorkomende en hoogst ontwikkelde plantensoorten op aarde. Hun evolutionaire ontwikkeling is naar schatting 80 à 90 miljoen jaar geleden begonnen in een tijdperk waarin dinosaurussen de dienst uitmaakten en apen en mensen nog onbekend waren. Wij staan er als moderne stadsbewoners niet vaak bij stil dat dit deel van het plantenrijk voor mens, dier en aarde als geheel net zo onmisbaar is als water, lucht en (zon)licht. Planten en bloemen helpen erosie te voorkomen en houden zo de aarde – vrijwel letterlijk – bij elkaar.

Zonder bloemen en planten kunnen mens en dier niet bestaan; zij maken een belangrijk deel uit van onze voeding, leveren geneeskrachtige stoffen en worden gebruikt als brandstof, grondstof voor textiel, bouwmateriaal en geurstoffen zoals wierook – en zo zijn er nog veel meer toepassingen.

Bloemplanten en hun bloemen

Bloeiende planten brengen hun bloemen voort vanuit een al miljoenen jaren durende overlevingsdrang. Bloemen zijn namelijk de voortplantingsorganen van de bloemplanten en zonder deze kan een hoog geëvolueerde plantenvorm niet overleven.

Aangezien wij allemaal precies denken te weten wat een bloem is, zal geen mens eraan denken de betekenis van dit woord op te zoeken in 'de dikke Van Dale'. De Van Dale (dertiende druk, 1999) geeft de volgende definitie:

bloem
de bloem; bloemen; bloempje of bloemetje
deel van zaadplant dat de voortplantingsorganen bevat en zich, na het uitbotten, veelal onderscheidt door schoonheid van vorm en kleur der (gespecialiseerde)

Venkel

Zinnia

Bestuiving

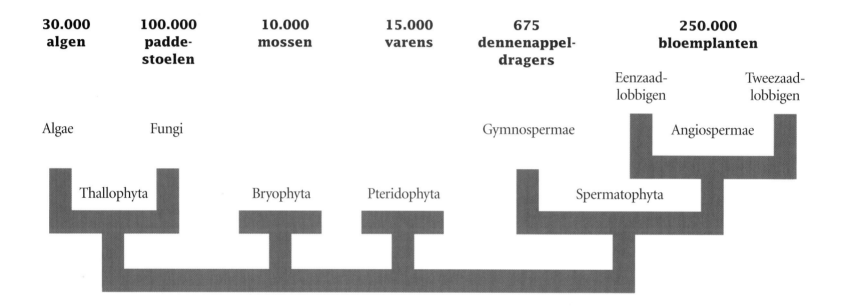

eenvoudige planten   **hoog geëvolueerde planten**

**30.000
algen**

**100.000
padde-
stoelen**

**10.000
mossen**

**15.000
varens**

**675
dennenappel-
dragers**

**250.000
bloemplanten**

Eenzaad-
lobbigen

Tweezaad-
lobbigen

Algae

Fungi

Gymnospermae

Angiospermae

Thallophyta

Bryophyta

Pteridophyta

Spermatophyta

De evolutie van het plantenrijk

De getallen hierboven zijn een voorzichtige schatting van het aantal soorten in de genoemde categorieën. Sommige wetenschappers vermoeden dat zowel bij paddestoelen en mossen als bij bloemplanten het aantal soorten uiteindelijk het dubbele zal blijken te zijn, als de tropische regenwouden en andere nog onvoldoende in kaart gebrachte gebieden volledig zijn bestudeerd.

bladen of door een kenmerkende (vaak aangename) geur.

Van Dale vermeldt terecht dat naast fraaie kleuren ook aantrekkelijke geuren (en smaken) worden ingezet om de voortplanting te stimuleren. Bloemplanten hebben daarbij vaak hulp van derden nodig. Wij doen er goed aan ons te realiseren dat deze kleuren en geuren uiteraard niet zijn ontstaan of bedoeld zijn om de mens te behagen, maar om specifieke, onmisbare insecten te lokken die de bestuiving en kruisbestuiving bewerkstelligen.

Religie en ritueel

Het is niet waar dat bloemen van mensen houden, zoals de reclame beweert, maar het is absoluut waar dat mensen al sinds jaar en dag om allerlei redenen van bloemen houden. Los van het feit dat vele bloemplanten uiterst nuttig zijn voor de mens – als voedsel of als medicijn – hebben hun schoonheid en hun jaarlijkse 'wederopstanding' mensen uit vrijwel alle culturen gefascineerd en geïnspireerd. Bloemen worden gebruikt als versiering, bijvoorbeeld op klederdracht. Prins Bernhard staat bekend om de witte anjer op zijn revers. In de ene cultuur draagt men

een roos of bloemenkransen in het haar, in andere culturen wordt men verwelkomd met een bloemslinger om de hals. De gebruiken zijn overal anders, of er worden andere bloemen gebruikt, maar wat alle culturen gemeen hebben is dat de belangrijkste evenementen en rituelen in het leven van de mens vaak omgeven zijn door bloemenpracht. Van geboorte tot begrafenis of crematie, van verliefdheid tot huwelijk, van eindexamen tot de hoogtepunten in iemands carrière, bloemen zijn een vast bestanddeel geworden van alle denkbare feesten en rituelen. Schitterend opgemaakte boeketten zijn overal te vinden: in de kerk, op kantoor, op verjaardagen en bij rouwplechtigheden. Bloemen zijn niet weg te denken uit onze samenleving.

Er is geen wezenlijk verschil tussen het neerzetten van geurende witte lelies bij een opgebaarde overledene, of het voor de openbare verbranding tooien van het stoffelijk overschot met honderden afrikaantjes en goudsbloemen. Het is ook niet belangrijk dat de ene cultuur de witte roos of witte bloemen in het algemeen tot symbool heeft verheven voor zuiverheid en onschuld, en een andere de zacht roze lotus als puurste uiting van onbevlektheid en reinheid beschouwt. Hoe de ideeën en gebruiken ook onderling verschillen: de essentie is overal hetzelfde. In dit boek is geprobeerd een compleet en zo breed mogelijk beeld te geven van de verscheiden-

Koraalstruik

Begonia

Bestuiving

Vuurpijl

Juffertje-in-'t-groen

heid waarmee bloemen in diverse religies, culturen en landen sinds mensenheugenis gebruikt worden en welke symbolische associaties en mythische verhalen rondom bloemen zijn ontstaan.

Bloemen zijn wonderen

Vrijwel elke bloemsoort heeft zijn eigen aanbidders die juist die 'de mooiste' vinden. Ook buiten de professionele kweek waarbij men zich vaak op een bepaald type richt, zijn er mensen die hun tuin en tijd helemaal aan één bepaalde bloemsoort wijden. Anderen reizen naar verre landen om hun lievelingsbloem in al haar verscheidenheid te kunnen aanschouwen. In Nepal bijvoorbeeld kan men een speciale trektocht maken door de bergen om de daar verspreide rododendrons en azalea's te bewonderen, of de liefhebber trekt naar Maleisië, Thailand, Hawaï of Indonesië om de uitbundige en tropische pracht van orchideeën en heliconia's te bewonderen.

Het is begrijpelijk dat mensen vaak de voorkeur geven aan het exotische en het onbekende boven wat men van kind af aan al honderden keren in het bos of de (eigen) tuin heeft gezien. Het is echter buitengewoon leerzaam om toch eens aandacht te schenken aan wat er in eigen land(schap) groeit en bloeit. Kijk van dichtbij, gebruik eventueel een vergrootglas of de macrolens van een camera. Ook de onopvallende, gewone, alledaagse bloemen blijken dan vaak bijzonder mooi of regelrecht een wonder te zijn. Een bloem met de simpele naam juffertje-in-'t-groen is bij nader inzicht even merkwaardig en haast net zo buitenaards als een passiebloem en een eenvoudige stokroos lijkt erg op de veel bekendere hibiscus; het overbekende sint-janskruid is niet minder verbazingwekkend dan de vrijwel onbekende calliandra.

De foto's in dit boek proberen niet alleen de magische schoonheid en de grote verscheidenheid van het bloemenrijk zichtbaar te maken, maar zijn ook bedoeld om de vele details te laten zien die aan iedere bloem zijn eigen, specifieke karakter geven.

De magie van bloemen

Omdat het woord magie niet voor alle mensen hetzelfde betekent, wil ik hier in het kort duidelijk maken waarom dit boek deze titel draagt en wat ik persoonlijk als de magie der bloemen zie. Sommige bloemen hebben een haast magische aantrekkingkracht louter door hun pracht en praal, door hun felle of juist subtiele kleuren of door de unieke vormen van hun bladeren, stempels of meeldraden (zie blz. 12 - 15 voor uitleg).

Andere kan ik niet anders dan magisch noemen omdat zij stoffen bevatten die het vermogen bezitten mens en dier van kwalen te bevrijden en van ziekten te genezen. Veel bloemen in deze categorie zijn tegelijkertijd ook giftig (dit wordt in de tekst altijd met rode letters aangegeven), dat wil zeggen bij onwetend en/of overmatig gebruik zijn hun stoffen schadelijk in plaats van heilzaam, en vernietigend in plaats van genezend. Bij juiste toepassing, dat wil zeggen de juiste bereiding en een voor de toepassing geschikte dosis, wordt het zogenaamde gif tot een waardevol medicijn.
Een vergelijkbare situatie treffen wij aan bij een andere groep van zogeheten magische planten en de daaruit gewonnen stoffen, die bij verkeerd gebruik

dodelijk kunnen zijn maar bij juiste toepassing en dosering tot spirituele inzichten en/of meditatieve visioenen kunnen leiden. Dit zijn de zogeheten bewustzijnsverruimende planten die door sjamanen, heksen, priesteressen en ingewijden sinds mensenheugenis in vrijwel alle culturen worden gebruikt. De inzichten in mens en universum die hieruit zijn voortgekomen, liggen deels ten grondslag aan bekende religieuze systemen en vergeten magische rituelen.

Weer andere planten zijn in dit boek opgenomen omdat zij eenvoudigweg uniek zijn: bijvoorbeeld bloemen die honderden vlinders tegelijk aantrekken, vleesetende bloemen die insecten vangen en verteren, bloemen die niet door bijen, hommels of vlinders maar door vogels worden bestoven, of bloemen die de geurstoffen leveren voor geliefde en bekende parfums.

Hortensia

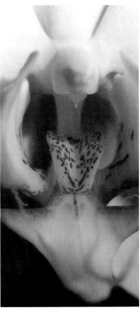

Orchidee

Bestuiving

Spathiophyllum wallisii

Enkele botanische begrippen

Asteraceae
Oude, maar nog vaak gebruikte naam voor de familie van bloemplanten die tegenwoordig gezamenlijk bekend staan als *compositae* (familie der samengesteldbloemigen).

Bedektzadigen (Angiospermae)
Wetenschappelijke benaming voor alle bloeiende planten of bloemplanten, tegenwoordig verreweg de grootste groep planten op aarde (meer dan 250.000 soorten). Hoezeer de leden van deze groep planten ook onderling verschillen – van viooltje tot cactus en van tomaat tot eucalyptusboom – wat hen tot één grote groep maakt is het feit dat hun zaden ingesloten zijn in een of ander soort vrucht.

Bestuiving
Het overbrengen van stuifmeel op de (vrouwelijke) stempel. In de natuur gebeurt dit door insecten, wind, water of vogels. Bij het kweken van nieuwe soorten of hybriden neemt de mens deze functie over en wordt de bestuiving vaak met een penseel tot stand gebracht.

Bloem
Een bloem is eigenlijk het voortplantingsorgaan van de bedektzadigen. Vrouwelijke en mannelijke organen kunnen zich in verschillende bloemen bevinden (eenslachtig) of samen in dezelfde bloem (tweeslachtig). De meeldraden zijn de mannelijke organen; de stijl, de stempel en het vruchtblad (tezamen stamper genoemd) zijn de vrouwelijke organen. Het geheel is meestal omgeven door een krans van kroonbladeren en een tweede krans van kelkbladeren. Pigmenten, bijvoorbeeld *anthocyanine*, geven de bloembladeren hun specifieke kleur.

Bol- en knolgewassen
Een aparte groep meerjarige planten die over ondergrondse opslagorganen beschikken: de bollen of knollen waarin tijdens de groeiperiode reservestoffen worden opgeslagen die de plant helpen de winter

of droge periodes door te komen. Sneeuwklokjes, krokussen, dahlia's en lelies behoren tot deze groep, en ook tulpen, narcissen, hyacinten en gladiolen.

Botanische namen

Net als het dierenrijk (*fauna*) is ook de *flora* (plantenrijk) van onze planeet door wetenschappers tot in detail geclassificeerd, waarbij men de onderlinge verwantschap aangeeft door termen als klasse, orde, familie (zie onder), stam, geslacht en soort. De voertaal hierbij is het Latijn. Sommige termen zijn echter alleen maar op Latijn lijkende afleidingen van de naam van een botanicus of de ontdekker van een plant.

De botanische naam van een plant bestaat altijd uit twee termen die het geslacht (*genus*) en de soort (*species*) aangeven. De namen *Hibiscus waimeae* en *Hibiscus rosa-sinensis* bijvoorbeeld geven aan dat wij te maken hebben met twee bloemplanten van het geslacht Hibiscus, waarbij *waimeae* een Hawaïaanse soort aanduidt en *rosa-sinensis* een Chinese, name-lijk de *Chinese roos*. Deze twee delen van een botanische naam behoren *cursief* te worden gedrukt, waarbij de eerste term met een hoofdletter begint en de tweede met een kleine. Indien een plantengeslacht in het algemeen bedoeld wordt, zonder op de diverse soorten in te gaan, wordt dit aangeduid met de afkortingen sp. (één bepaalde species) of spp. (meerdere species).

Voor het bespreken van meerdere soorten anemonen bijvoorbeeld is de juiste botanische benaming *Anemone* spp., als het gaat om de soorten *Anemone nemerosa*, *Anemone blanda*, *Anemone coronaria* en enkele hybriden van de laatstgenoemde. Deze hybride (zie onder) cultuurvariëteiten komen in de officiële botanische naam tussen apostrofs te staan, wat leidt tot benamingen als *Anemone coronaria* 'Hollandia' of *Dahlia variabilis* 'Vuurvogel'.

Compositae

Zeer grote familie van bloemplanten die in het Nederlands samengesteldbloemigen heten. Deze fami-

Begonia

Japanse azalea

Engelentrompet

Judaspenning, vrucht

lie omvat meer dan 25.000 soorten, dat wil zeggen tien procent van alle bloemplanten of bedektzadigen. Meer tot de verbeelding sprekend is de Engelse naam voor *compositae*, waar deze familie wordt aangeduid als *zonnebloemfamilie*. Stel je een zonnebloem voor, laat haar kleiner worden en van kleur veranderen en je belandt bij de bloemen die de naam aster, goudsbloem, kamille, madeliefje, margriet of zonnehoed dragen. Alle in dit boek besproken leden van deze en andere families zijn te vinden via de botanische index op blz. 184 in de appendix.

Eendagsbloemen
Sommige bloemennamen verwijzen duidelijk naar het feit dat deze bloemen slechts een dag lang bloeien, de naam *daglelie* bijvoorbeeld of *dagschone*. Er zijn nog meer eendagsbloemen waarvan de naam niets verraadt, de hibiscus bijvoorbeeld of de klimmende winde die alleen 's ochtends bloeit en ook wel *dagbloem* heet.

Eenjarige planten
Planten die binnen een jaar na het zaaien bloeien, zaad geven of vrucht dragen en daarna sterven.

Familie
Behalve de botanische namen van planten worden in dit boek ook de families genoemd waaronder de specifieke soort en het betreffende geslacht in de bo-

tanie geclassificeerd zijn. Deze familieverbanden zijn vaak zeer interessant, aangezien wij daaruit bijvoorbeeld kunnen opmaken waarom een stokroos zoveel op een hibiscus lijkt, of wat het onschuldige slaapmutsje (*Eschscholzia californica*) te maken heeft met de beruchte slaapbol (*Papaver somniferum*), de plant die de grondstoffen levert voor *opium*, *morfine* en *heroïne*.

Hybriden
Een plant wordt aangeduid als hybride wanneer zij gekweekt is door het kruisen van verschillende variëteiten, soorten of rassen. Zulke planten worden soms ook *bastaard* genoemd.

Meerjarige planten, overblijvende planten
Planten die langer dan twee jaar leven en in de meeste gevallen elk jaar opnieuw bloeien. Sommige kunnen tot 100 jaar oud worden. Zie ook Bol- en knolgewassen.

Solanaceae
Een grote en voor de mensheid zeer belangrijke familie van bloemplanten die in het Nederlands bekendstaan als de nachtschadegewassen. Het bijzondere aan deze familie is dat zij zowel planten omvat die vrijwel iedereen als voedsel kent (aardappelen, aubergines, paprika's, pepers en tomaten) als planten die stoffen leveren zoals *nicotine* en andere

drugs, die deels medicinaal gebruikt worden en deels als bewustzijnsverruimende middelen (alruin, belladonna, bilzekruid, doornappel, engelentrompet e.d.); middelen die zo krachtig zijn dat zij bij onjuiste toepassing of wanneer men er per ongeluk wat van binnen krijgt ook dodelijk giftig kunnen zijn. Deze familie bestaat uit ongeveer 90 geslachten met zo'n 2.000 tot 3.000 soorten, waarvan sommige inmiddels ook als sierplant in de handel zijn, bijvoorbeeld de lampionbloem en de petunia.

Stamper
Naam voor het vrouwelijke orgaan in de bloem waar de vrucht uit ontstaat, meestal bestaande uit stempel, stijl en vruchtbeginsel. In het Latijn *gynoecium*.

Tweejarige planten
Planten die in het eerste jaar na het zaaien alleen bladeren vormen en pas in het tweede jaar bloeien, zaad geven of vrucht dragen en daarna sterven.

Vrucht
In het dagelijkse spraakgebruik bedoelen wij met *vrucht* meestal iets eetbaars in de vorm van fruit (appel, peer, banaan) of groente (avocado, tomaat), en ook wel een andere uiting van vruchtbaarheid: de ongeboren nakomeling of *embryo* van mens of dier. Voor een botanicus heeft dit begrip echter een veel ruimere betekenis, namelijk alle mogelijke soorten 'uitgegroeide vruchtbeginsels' van een plant. Een vrucht in deze betekenis van het woord is het rijpe product - al dan niet eetbaar - van een plant dat de zaden bevat voor een volgende generatie. In deze botanische betekenis is een kokosnoot net zo goed een vrucht als de giftige bessen van belladonna of salomonszegel, de doorzichtige zaaddoosjes van de judaspenning of een kers, olijf of sinasappel.

X officinalis
De in botanische namen (zie boven) regelmatig voorkomende aanduiding *officinalis* is een afleiding van de term *officina*, de naam van de speciale ruimte in kloosters waar vroeger bepaalde planten tot geneesmiddel werden verwerkt.
Namen zoals *Primula officinalis* (sleutelbloem), *Calendula officinalis* (goudsbloem) of *Verbena officinalis* (ijzerhard) maken dus direct duidelijk dat wij met geneeskrachtige planten te maken hebben.

Zonnevolger (Heliotroop)
Verzamelnaam voor bloemen die de loop van de zon volgen en zich tijdens de dag altijd naar de zon toe draaien. Deze soort bloemen, bijvoorbeeld goudsbloem en zonnebloem, werd vroeger ook wel *Sponsa solis* genoemd: *zonnebruid*. Soms wordt de term zonnevolger ook gebruikt voor bloemen die niet meedraaien maar wel duidelijk zichtbaar opengaan bij zonsopgang en zich sluiten bij zonsondergang.

Protea

Ipomea tricolor

Papaver somniferum

Bloemen ...

Afrikaantje

Tagetes erecta, Tagetes patula
Familie der samengesteldbloemigen (Compositae)

Gezien de naam van de bloem – *afrikaan* of *afrikaantje* – is het nogal verrassend dat zij absoluut zeker afkomstig is uit Midden-Amerika is, om precies te zijn Mexico. Spaanse kolonisten namen de bloem mee naar Europa, maar zij bereikte via andere wegen ook het Indiase subcontinent. Toen de bloemen via Spanje ook in Frankrijk kwamen en van daaruit in andere landen, werden ze ook bekend als *Franse mariabloem*. Pas toen koning Karel V deze bloemen meenam na een kruistocht in Noord-Afrika – hij beschouwde zichzelf als hun ontdekker en noemde ze *flos Africanus* – kregen ze de naam afrikaantje.

De Latijnse naam *tagetes* is gebaseerd op een held uit de klassieke cultuur, *Tages*, die de kunst van het voorspellen aan de Etrusken leerde.

Kleurenscala

abrikooskleurig, citroengeel, goudgeel, oranje, roodbruin

Symboliek

Ook al maken wij vandaag de dag verschil tussen afrikaantje (*Tagetes* spp.) en goudsbloem (*Calendula officinalis*), de Engelse namen *marigold* (goudsbloem) en *African marigold* (afrikaantje) maken duidelijk dat deze twee soorten vroeger nauw met elkaar geassocieerd werden. Dat is ook de reden dat het afrikaantje met de goudsbloem de Maria-symboliek gemeen heeft (zie blz. 70).

Al veel eerder was het afrikaantje een vertrouwde verschijning in India en het aangrenzende Nepal, waar de bloem ook bekend is als kruid van de zon. Bij vrijwel elke druk bezochte tempel staan één of meer *phoolivali*: vrouwen of meisjes die prachtige bloemslingers van aaneengeregen afrikaantjes en goudsbloemen te koop aanbieden. De bloemslingers worden op diverse manieren gebruikt als offerande. Beelden van goden en godinnen worden versierd, een overledene wordt bedekt met bloemen op weg naar de crematie, en vaak ziet men mensen een net gekochte slinger overgeven aan de stroming van een rivier zoals de Ganges (India) of de Bagmati (Nepal). Ook een *goeroe* (spirituele leraar) krijgt vaak zulke levende halskettingen omgehangen door zijn leerlingen. Op de bloemen na volledig naakte *sadhu's* (heilige mannen) gebruiken de slingers op bepaalde feestdagen als hun enige kledingstuk.

Geneeskunde en keuken

Er zijn geen toepassingen van deze bloemen te vermelden.

Eigenschappen

Eenjarige plant, bloeit ongeveer van juni t/m oktober, kan in hoogte variëren van 15 cm tot 1,20 m. De wortels van afrikaantjes bevatten een voor veel insecten giftige stof en ze kunnen dus helpen andere planten te beschermen. Vlinders bezoeken ze graag.

Tagetes erecta

Tagetes patula hybride

Akant

Acanthus mollis, Acanthus spinosus
Acanthusfamilie (Acanthaceae)

Ook al kent men de akant in de volksmond als berenklauw, deze plant is niet dezelfde als de gewone berenblauw (*Heracleum sphondylium*) of de reuzenberenklauw (*Heracleum mantegazzianum*), de in het wild groeiende plant die men beter niet kan aanraken vanwege de pijnlijke blaren die dit veroorzaakt.

Er zijn twee soorten van akant (van het Griekse *akantha*, 'doorn'), de zachte akant (*Acanthus mollis*) en een met doorns (*Acanthus spinosus*). Zowel in de symboliek als de geneeskunde is de zachte akant belangrijker. Oude bronnen maken echter meestal geen onderscheid tussen beide soorten. De planten komen oorspronkelijk uit tropisch Afrika en Azië en de gebieden rondom de Middellandse Zee. Van daaruit hebben ze de noordelijke landen bereikt. Hier zijn ze vaak als sierplant in tuinen te vinden.

Kleurenscala
paars, wit

Symboliek
De akant is volgens velen de mooiste van alle distels en zowel zijn bladeren als zijn elegante, sierlijke, wit-paars geaderde bloemen hebben met name de Grieken en Romeinen bekoord. De beroemde Helena van Troje had een sluier die met een motief van akantbladeren was versierd, grafstenen werden van het akantmotief voorzien en de toppen van de befaamde Korinthische kapitelen zijn gemodelleerd naar de vormen van de doornige akant. Beroemde tempels zoals die van *Apollo* en *Athene* dragen het motief, en ook de Romeinen namen het over van de Grieken. Ook nu nog is de akant het bloemenembleem van Griekenland.

Terwijl de akant in de tegenwoordige bloementaal naar kunstzinnigheid verwijst, was hij in de klassieke oudheid een symbool van onsterfelijkheid, of eigenlijk van het leven na de dood. Vandaar dat we akantafbeeldingen op grafstenen kunnen aantreffen en vandaar ook het gebruik om het graf te beplanten met deze bloem, die even mooi als krachtig is.

Vanwege zijn doornen werd *Acanthus spinosum* later ook tot het christelijke symbool voor de doornenkroon en het martelaarschap gemaakt en via deze weg ook tot symbool van zonde en pijn.

Geneeskunde en keuken
In de oudheid werden zowel bladeren als wortels bij tal van stoornissen en ziekten toegepast, maar vooral om wonden te genezen of

urine af te drijven, en ook tegenwoordig nog wordt de plant soms toegepast in compressen en omslagen. Ook de doornige akant heeft samentrekkende en vochtafdrijvende eigenschappen.

Eigenschappen

Overblijvende plant, bloeit ongeveer van juni t/m augustus en kan een hoogte van 1,50 m bereiken.

Acanthus spinosus

Acanthus spinosus

Amaryllis

Hippeastrum spp.
Narcissenfamilie (Amaryllidaceae)

Andere namen: *Hippeastrum*
Duits: *Ritterstern, Amaryllis, Hippeastrum*
Engels: *Amaryllis, Hippeastrum, Beautiful Lady*

De prachtige bloem die bekend staat als amaryllis ontleent haar naam, niet helemaal terecht, aan de grote familie waar zij toe behoort en niet aan haar daadwerkelijke soort (*hippeastrum*). De enige echte amaryllis is de bloem die officieel *Amaryllis belladonna* (belladonna-lelie) heet. Tegenwoordig bestaan er meer dan 70 soorten Hippeastrum-hybriden. Dit zijn voornamelijk kruisingen van uit Zuid-Amerika naar Europa overgebrachte soorten: *Hippeastrum puniceum, Hippeastrum reginae* en *H. vittatum*. De eerste twee zijn de voorouders van de vele prachtige roodtinten die de bloemen vertonen, de laatste is verantwoordelijk voor de vaak anders gekleurde randen die bij de amaryllis voorkomen.

De bloem die wij nu eenmaal kennen als amaryllis had eigenlijk beter 'paardenster' of 'ruiterster' kunnen heten, naar analogie van de naam in het Duits. In deze taal heet zij namelijk *Ritterstern* (ridderster). De Griekse naam *hippeastrum* is samengesteld uit *hippeus* (paard, ruiter, wagenmenner op een zegewagen) en *astrum* (ster). Deze naam verwijst naar het oude Griekenland waar men een komeet kende met de naam *Hippeus,* een zogeheten *paardenster* die werd gezien als de heilige ster van *Aphrodite,* de godin van liefde en lust. Dit laatste is een interessant gegeven aangezien de amaryllis een uiterst vruchtbare plant is die zich gemakkelijk vermeerdert; een bolgewassenspecialist noemde haar ooit zelfs 'het konijn onder de bolgewassen'.

Oorspronkelijk is de plant afkomstig uit Zuid-Amerika, om precies te zijn uit het Andesgebergte, maar de bollen en snijbloemen die nu bij de bloemist verkrijgbaar zijn komen voornamelijk uit kwekerijen in Nederland en Zuid-Afrika. In het wild vormt de amaryllis een interessante symbiose met de kolibries, de prachtige vogeltjes die als een helikopter in de lucht kunnen blijven hangen. De amaryllis voedt de kolibries en de bloemen worden niet zoals gebruikelijk door insecten bestoven, maar door deze vogeltjes.

Behalve deze bijzondere bestuivingsmethode, haar opvallende vruchtbaarheid en het feit dat de bloem juist in de winter en niet in de zomer bloeit, heeft de amaryllis nog een bijzondere, haast magische eigenschap. Waarschijnlijk doordat zij uiterst giftig is (zie onder), heeft de bloem geen enkele natuurlijke vijand.

Kleurenscala
rood, roze, wit

Symboliek
Doordat de bloem elk jaar lijkt te sterven maar in het volgende jaar weer tot leven komt, doet zij denken aan de symbolische betekenis van de *feniks* die keer op keer uit de as herrijst. De amaryllis staat dan ook tegelijkertijd zowel voor de vergankelijkheid van het leven als voor wedergeboorte en een nieuw begin.

De eerdergenoemde associatie van deze bloem met de zegewagen maakt haar tot een zeer geschikt symbool voor Tarotkaart nummer 7 '*De Zegewagen*', maar ik ben nog nooit een tarotspel tegengekomen dat hiervan gebruikmaakt.

Geneeskunde en keuken
Er zijn geen gastronomische of medische toepassingen van deze bloemen te vermelden - integendeel. Alle delen van de plant zijn giftig, in het bijzonder de bol. Deze bevat een aantal *alkaloïden* die

Hippeastrum sp.

schade kunnen toebrengen aan de nieren en tot verlamming van de ademhaling leiden. De diverse werkzame stoffen van de plant zijn uiterst krachtig.

De Zuid-Amerikaanse Indianen maakten er een dodelijk pijlgif uit. Ook het alleen maar aanraken van de bladeren kan reeds tot huidirritaties leiden. In huishoudens met kinderen is het beter de bloemen helemaal te vermijden, hoe prachtig zij ook zijn.

Eigenschappen
Meerjarige plant, bloeit ongeveer van oktober t/m mei, bereikt een hoogte van 50 tot 90 cm met bloemen van circa 12 cm doorsnee.

Hippeastrum sp.

Hippeastrum sp.

Hippeastrum sp.

Anemoon

Anemone spp.
Ranonkelfamilie (Ranunculaceae)

Andere namen: *Windbloem, Leverbloem, Duivelsbloem*
Duits: *Anemone, Windröschen, Hexenblume*
Engels: *Anemone, Windflower*

De naam van deze bloem is ontleend aan een Semitisch woord, *na' amanim*, wat ongeveer kan worden vertaald als 'lieflijke bloem'. In het Grieks, waar *anemos* wind betekent, heeft men het Semitische woord op deze manier geïnterpreteerd en Plinius heeft zelfs beweerd dat de bloem een relatie heeft met de wind en zich nooit zou openen als het niet waait. In de mythologie en de symboliek speelt voornamelijk de rode anemoon (*Anemone coronaria*) een rol.

In de geneeskunde worden de blauwe anemoon (*Anemone appenina*), de gele bosanemoon (*Anemone ranunculoïdes*) en het wildemanskruid (*Anemone pulsatilla*, wit van kleur) zeer gewaardeerd. Van de circa 150 soorten die wereldwijd verspreid in de gematigde klimaatzones voorkomen, zijn de bovengenoemde soorten in Europa in het wild te vinden, evenals de witte *Anemone magellanica*. Als sierplant zijn de blauwe *A. blanda* en de rode of witte *A. coronaria* het meest bekend en geliefd.

Kleurenscala
blauw, geel, rood, wit

Anemone coronaria 'Mr. Fokker'

Symboliek

Volgens een Griekse mythe zijn de rode anemonen ontstaan uit het bloed van de gewonde en stervende *Adonis*, een geliefde van de godin *Aphrodite*, en de witte uit de tranen van de rouwende godin. Een andere mythe verhaalt echter dat Adonis, die door een roofdier (een beer of een everzwijn) gedood werd, door Aphrodite in een anemoon werd veranderd.

Op grond van deze verhalen werd de anemoon een symbool van rouw en verdriet, ook buiten Griekenland. Eeuwen later, in Europa tijdens de Middeleeuwen, werd de anemoon tot christelijk symbool gemaakt met precies dezelfde functie. Daarbij werd Adonis vervangen door Jezus en ontsprong de anemoon aan Jezus' bloed aan de voet van het kruis. Vandaar dat op sommige schilderijen van het tafereel bij Golgotha onder het kruis anemonen te zien

Anemone coronaria hybride

Anemone blanda

zijn. De 'leliën des velds' die in de Bijbel en andere christelijke teksten genoemd worden, zijn eigenlijk geen lelies maar anemonen. Een andere betekenis die aan de Griekse mythen is ontleend is gebaseerd op het feit dat Adonis nog heel jong was toen hij stierf, en dat Aphrodite hem buitengewoon snel vergat en een nieuwe minnaar nam. Dit leidde ertoe, in combinatie met de korte bloeitijd van de plant en haar algehele fragiliteit, dat de anemoon een symbool werd voor een vroege dood, voor vergankelijkheid, voor sneldrogende tranen. Het geven van anemonen wordt dan ook vaak gezien als een signaal dat men een relatie wil beëindigen.

Ook in China is de anemoon bekend. Daar werd zij als bloem ter herdenking van de doden op graftombes geplant.

Geneeskunde

De naam leverbloem is gebaseerd op het oude gebruik de blauwe anemoon toe te passen als huismiddeltje bij diverse leverkwalen. In China is het juist de witte anemoon, in het Nederlands ook bekend als wildemanskruid, waarvan de wortels en bladeren al duizenden jaren toegepast worden bij aan de zenuwen gerelateerde problemen; van stress en uitputting tot aan de ziekte die wij kennen als

Anemone coronaria 'Hollandia'

Anemone coronaria 'The Bride'

Rode anjer   een bos witte anjers   Chinese anjer *(Dianthus chinensis)*

trekken. Na deze periode wordt de inhoud van de fles gezeefd en is er een drank ontstaan die, vermengd met honing, de mens van veel kwalen vrijwaart, in het bijzonder indigestie en andere darm-aandoeningen.

Er zijn ook recepten bekend waarbij de bloembladeren gebruikt worden in omeletten of om er jam van te maken, niet alleen om de smaak maar omdat men gelooft dat je er onvermoeibaar van wordt. Gezien de duidelijke en vaak sterke kruidnagelgeur van veel anjersoorten werden de bloembladeren soms benut om wijn of andere dranken op smaak te brengen, vooral toen de echte kruidnagel nog een zeldzame en dure specerij was.

Vandaar waarschijnlijk ook de alternatieve naam *nagelbloem* en zeer zeker de Engelse naam *clove-pink* (roze kruidnagel).

Eigenschappen

Er bestaan eenjarige, tweejarige en meerjarige soorten, en de bloeitijd loopt van mei tot september. Bijzonder mooie en populaire soorten zijn de duizendschoon (*Dianthus barbatus*) en de prachtanjer (*Dianthus superbus*).

Bekerplant

Andere namen: *Vleesetende plant*
Duits: *Nepenthes-Kanne*
Engels: *Pitcher plant*

Nepenthes spp.
Bekerplantenfamilie (Nepenthaceae)

Van alle 'insectenetende' of 'vleesetende' planten zijn alleen de soorten van het geslacht *nepenthes* relatief gemakkelijk te kweken; vandaar dat wij deze dan ook vaker op markten of bij exclusieve bloemisten tegenkomen dan de zogenaamde *venusvliegenvanger* (*Dionaea muscipula*) of de *zonnedauw* (*Drosera filiformis*). Bekerplanten groeien in de regenwouden van landen en eilanden in de Indische en Stille Oceaan. Vanuit de wildernis van Borneo hebben de planten zich in alle windrichtingen verspreid: de grenzen van hun domein zijn Madagascar en Sri Lanka in het westen, Assam in het noorden, de Filippijnen in het oosten en Sumatra in het zuiden.

De term 'insectenetende' plant is niet bijzonder accuraat. Eigenlijk zou 'insectenverterende' plant beter zijn. Bepaalde bladeren van de plant groeien namelijk uit tot bekers die voor eenderde gevuld zijn met een nectar die veel enzymen bevat. De insecten die hierin terechtkomen worden chemisch afgebroken. Aangetrokken door de opvallende kelken, die tot 30 cm groot

zijn, en de honingzoete nectargeur vallen ze in dit ongewenste bad en verdrinken. De enkeling die probeert te ontsnappen door langs de beker weer omhoog te klimmen stimuleert de nectarproducerende klieren juist nog meer en wordt opnieuw naar beneden getransporteerd. De planten, die voornamelijk in stikstofarme, moerasachtige gebieden leven, vullen door de verteerde insecten precies de ontbrekende stoffen aan die ze nodig hebben om te overleven.

Kleurenscala
groen, paars-bruin, rood

Symboliek
De bloemen spelen geen belangrijke rol in symboliek, heraldiek of mythologie.

Geneeskunde en keuken
Er zijn geen geneeskundige toepassingen van deze bloemen te vermelden en ze spelen geen rol in de keuken. De stengels van deze klimplanten worden in landen als Sri Lan-

ka en Maleisië verwerkt tot touw waar onder meer manden van worden gevlochten.

Eigenschappen

Nepenthes of bekerplant is een bedreigde soort. In Duitsland bijvoorbeeld is de invoer van in de natuur geplukte planten verboden en er mogen alleen planten uit kwekerijen verhandeld worden.

Nepenthes spp.

Belladonna

Atropa belladonna

Nachtschadefamilie (Solanaceae)

Andere namen: *Tovenaarsnachtschade, Wolfskers, Duivels-kruid, Bozemansbes*
Duits: *Belladonna, Tollkirsche*
Engels: *Deadly nightshade, dwale, belladonna*

De naam belladonna of '*mooie dame*' heeft deze plant niet aan haar bloemen te danken maar aan het feit dat hofdames in de Renaissance haar als cosmetisch middel gebruikten. Beroemder en beruchter is de plant echter onder andere namen – duivelskruid en tovenaarsnachtschade bijvoorbeeld – namen die direct duidelijk maken dat wij met een krachtig heksenkruid te maken hebben, dat aan de ene kant dodelijk giftig kan zijn maar daarnaast ook te gebruiken is als magische, rituele plant.

En ten slotte het woord *atropa*: ook dit is een welgekozen naam die ons herinnert aan een van de drie Griekse schikgodinnen, *Atropos* (de Onontkoombare), wier taak het was de levensdraad door te snijden. De plant groeit in het wild in Europa, Azië en Noord-Afrika.

Kleurenscala

bruin-paars

Symboliek

Voor een mythe rond het ontstaan van belladonna zie de symboliek van Engelentrompet (blz. 54).

Geneeskunde en keuken

Ook tegenwoordig zijn er nog oogdruppels te verkrijgen waarin het sap van belladonnabessen is verwerkt. Net als in de Renaissance wordt belladonna gebruikt om tijdelijk de pupillen te verwijden, want grotere pupillen laten iemands ogen er vaak opvallend mooi uitzien. Oogartsen daarentegen maken gebruik van deze druppels teneinde de pupillen beter te kunnen onderzoeken. Een tweede toepassing van belladonna als cosmetisch middel werd vroeger door dames met een donkere huid op prijs gesteld. Met de stoffen uit deze plant probeerden zij hun huid blank te maken, hetgeen toentertijd als elegant en voornaam beschouwd werd.

Een belangrijkere toepassing in de medische sfeer was de ontdekking door Samuel Hahnemann, grondlegger van de homeopathie, dat met behulp van belladonna huidschilfering genezen kon worden. Tegenwoordig zijn er homeopathische middelen die belladonna bevatten tegen problemen van de ademhaling of de hersenvliezen, en tegen hoge koorts bij kinderen. Belladonna maakt ook deel uit van de onder Engelentrompet beschreven heksenzalf (zie blz. 54) maar waarschijnlijk is zij vaker als dodelijk gif toegepast dan als magische plant. In de oorlog tussen Schotland en Noorwegen in de elfde eeuw bijvoorbeeld stuurden de Schotten met belladonna vergiftigd voedsel aan hun tegenstanders – met voorspelbare, dodelijke gevolgen.

De werkzame bestanddelen zijn *atropine, scopolamine, hyoscyamus* en diverse andere alkaloïden. De stof hyoscyamus komt ook in het al net zo gevaarlijke bilzekruid voor, een plant die naar deze stof genoemd is, namelijk *Hyosciamus niger*. Veel van deze stoffen kunnen door de huid worden opgenomen en alleen al het aanraken van de bessen of andere onderdelen kan tot vergiftigingsverschijnselen leiden. Mits de juiste hoeveelheid bessen of zaden toebereid en gebruikt wordt, kan belladonna visioenen opwekken die vergelijkbaar zijn met die van LSD of doornappel (zie blz. 54).

Eigenschappen

Meerjarig, een van de gevaarlijkste planten die in Europa voorkomen, bloeit meestal in juni maar kan soms in september een tweede keer tot bloei komen. De plant bereikt een hoogte van circa 1 m met kleine, trechtervormige bloemen van ongeveer 3 cm. Alle delen van de plant zijn uiterst giftig. Aangezien slechts drie van de zwarte, zoete bessen voor een kind reeds dodelijk kunnen zijn, mag de plant absoluut niet in de buurt van kinderen staan.

linker bladzijde:
Atropa belladonna - bes

Atropa belladonna

Bernagie

Borago officinalis
Ruwbladigenfamilie (Boraginaceae)

Andere namen: *Komkommerkruid*
Duits: *Bernage, Borretsch, Gurkenkraut*
Engels: *Borage*

De term *officinalis* in de botanische naam maakt onmiddellijk duidelijk dat bernagie van oudsher bekendstaat als geneeskrachtige plant. De plant is dan ook veel beschreven en komt in vrijwel alle kruidenboeken voor, oud en nieuw, vooral vanwege haar opwekkende effect op mensen: zij maakt in het algemeen vrolijk en kan zorgen of somberheid verdrijven. Vandaar ook dat bernagie al lang de bijnaam 'De Welgezinde' draagt.

De Engelse en Duitse namen voor de plant, *borage* en *borretsch*, gaan terug op het Keltische woord voor moed: *borrach*. Daar is vast ook het gebruik ontstaan om een drank van bernagie als afscheid te geven aan ridders die ten strijde trekken.

Kleurenscala
puur blauw, paars-blauw

Symboliek
In oude magische rituelen werd bernagie gebruikt om de magiër of andere deelnemers aan het ritueel meer moed te geven in hun ondernemingen, aangezien men geloofde dat de plant demonenwerende en beschermende krachten had. Misschien is dit geloof in de beschermende kracht ook de verklaring voor het feit dat de stervormige bernagiebloempjes vaak te vinden zijn als motief in ouderwets borduurwerk, bijvoorbeeld op de sjerpen van deelnemers aan middeleeuwse steekspeltoernooien.

Geneeskunde en keuken
De plant bevat veel minerale zouten en heeft in het algemeen een spierontspannende en bloedreinigende werking. Zij werd ook gebruikt tegen koorts en tegen keelaandoeningen. Behalve aan thee wordt bernagie soms ook toegevoegd aan wijn, waarna echter niet meer te zeggen valt of nu het nu de plant is of de alcohol die de mensen zich ontspannen laat voelen. De bloembladeren zijn eetbaar en kunnen over salades gestrooid worden of als versiering dienen op een cake of taart. Het blad is geschikt als vervanger van zout voor

mensen met een zoutloos dieet. Door heksen en in andere magische kringen wordt bernagie vaak gebruikt als thee en men is ervan overtuigd dat deze drank de psychische krachten kan versterken en het zenuwstelsel sensitiever kan maken.

Eigenschappen
Eenjarige plant, bloeit ongeveer van juni t/m augustus en kan een hoogte van 50 cm tot 1 m bereiken, afhankelijk van de hoeveelheid aarde of de grootte van de pot.

Borago officinalis

Calla

Andere namen: *Aronskelk, Slangewortel*
Duits: *Kalla*
Engels: *Calla lily*

Zantedeschia aethiopica
Aronskelkfamilie (Araceae)

Rond de oorspronkelijk uit Zuid-Afrika stammende calla bestaan enkele misverstanden, in het bijzonder over haar naam. Zowel in Nederland als in Engelstalige gebieden wordt zij door velen *calla-lelie* genoemd, hoewel zij geen lelie is en ook niet verwant aan deze groep planten. Andere mensen, voornamelijk in Nederland, noemen deze bloemen gewoon aronskelk. Botanisch gezien is dat niet fout, aangezien de calla wel tot de aronskelkfamilie behoort.

De naam aronskelk verwijst echter niet specifiek naar de calla maar bijvoorbeeld ook naar de flamingoplant (*Anthurium* spp.), de eetbare taroplant, de hoogst onaangenaam stinkende duivels- of drakenkelk (*Dracunculus vulgaris*) en vele anderen. De calla is meestal geurloos, alleen op het moment dat de plant gereed is voor bestuiving lokt zij insecten met een zachte, aardse geur die soms ook voor mensen waarneembaar is.

Naast de witte *Zantedeschia aethiopica* bestaan er nog enkele andere soorten die de naam calla dragen. Deze zijn niet wit en minder winterhard. Deze luisteren naar namen als *Z. albo-maculata* (gevlekte calla), *Z. elli-ottiana* (gouden calla), of *Z. rehmannii* (roze calla).

Kleurenscala

wit; gekweekte hybriden echter in diverse kleuren

Symboliek

In veel landen wordt de calla of witte aronskelk als grafbloem gebruikt waardoor zij, net als de witte lelie, de associatie met droefheid en rouw heeft verkregen.

Geneeskunde en keuken

De calla is verwant aan de voedzame taro-plant, maar is zelf niet eetbaar en bovendien zelfs licht giftig. Uit de tarowortels

links: *Anthurium* sp.
rechts: *Dracunculus vulgaris*

wordt meel gemaakt, maar het eten van de callawortel leidt tot branderige irritatie in mond en maag.

Eigenschappen

Meerjarige plant die een hoogte van circa 90 cm bereikt. Calla's bloeien normaal gesproken in mei en juni, maar in iets warmere klimaatzones kunnen wij de bloemen het hele jaar door aantref-fen. Wat wij als de bloem zien, een grote witte trechter die een gele stengel omsluit, is helemaal geen bloem maar een bepaald type blad dat men in het vakjargon *bloeischede* noemt. In werkelijkheid heeft een enkele calla honderden zeer kleine gele bloemetjes die tezamen de gele 'pilaar' in het midden van de bloeischede vormen – met een enkele calla geef je iemand dus eigenlijk honderden bloemen.

Calla hybride

Zantedeschia aethiopica

Calla 'Pink Persuasion'

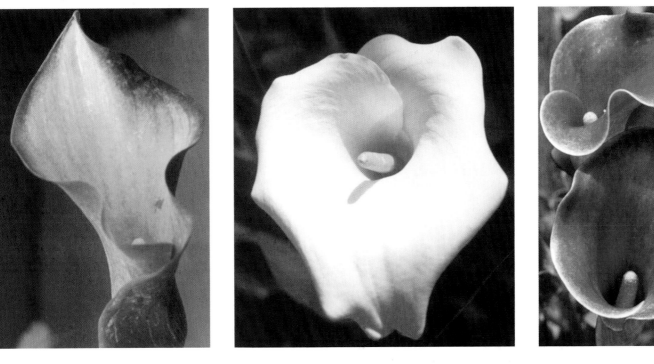

Chrysant

Chrysanthemum spp.

Familie der samengesteldbloemigen (Compositae)

Andere namen: *Kerkhofchrysant,*
Chinese chrysanthemum, Winterroos
Duits: *Chrysantheme*
Engels: *Chrysanthemum, Tansy, Mum, All Saints' Flower*

Ga naar vijf verschillende bloemisten en vraag elk van hen naar chrysanten. De kans is groot dat ze allevijf totaal anders uitziende bloemen aanbieden die allemaal chrysant heten maar sterk in grootte variëren, te koop zijn in de vorm van snijbloemen of in een pot, wit en roze van kleur zijn of donkerrood. Wat de bloemen gemeen hebben is dat ze er min of meer uitzien als te grote kamille of als madeliefjes en margrietjes. En dan is er ook nog een soort tussen die er helemaal niet bij lijkt te horen: grote bolvormige bloemen bestaande uit een groot aantal gekromde uitstaande lintjes. Deze laatste is de hier besproken chrysant, die van China en Japan tot Griekenland en ook bij ons een symbool is en in mythen voorkomt. De andere chrysanten, de margriet-achtigen, worden besproken bij de margriet (blz. 122).

Kleurenscala
geel, goud

Symboliek
Chrysant is de Nederlandse verkorte vorm van het Latijnse *chrysanthemum,* wat weer is afgeleid van twee Griekse termen: *chrysos* (gouden) en *anthos* (bloem). Deze bloemen werden reeds lang

Chinese chrysanthemum

voor onze jaartelling op grote schaal in China geteeld. Al in de oudheid is de chrysant op de een of andere manier vanuit het Verre Oosten naar Griekenland gekomen, maar het moderne Europa heeft zij pas eind zeventiende eeuw bereikt.

In China heeft de bloem een duidelijke associatie met het bereiken van een hoge leeftijd; zij is een symbool voor een wetenschapper in ruste, en verder geloofde men dat de ochtenddauw op chrysanten kon helpen bij het streven naar een lang leven. Tezamen met de bamboe, de pruim en de orchidee werd de chrysant in het Chinese boeddhisme tot de vier nobele bloemen gerekend. Japanse Zen-monniken namen de bloem mee naar huis vanuit China, waarna de goudgele chrysant het bloemenembleem is geworden van Japan en van de keizerlijke familie. In deze twee landen wordt de chrysant gezien als 'de essentie van de zon' en in de literatuur en de kunst wordt de bloem vaak als zonnesymbool gebruikt.

In de Griekse mythologie is de bloem symbolisch voor het met slangen begroeide hoofd van Medusa wier aanblik een sterfelijk wezen kon doden, en vanuit deze mythe werd de chrysant later in het Griekse volksgeloof een demonenwerende en beschermende plant. In onze contreien werd de bloem voornamelijk gebruikt als grafbloem en zo kreeg zij ook de bijnaam *kerkhofchrysant*. Het werd als gevaarlijk beschouwd deze bloemen op het kerkhof te plukken; de gevolgen zouden niet alleen hoofdpijn en nare dromen zijn, maar ook kon de onverlaat die bloemen steelt van de doden worden getroffen door ongelukken.

Geneeskunde en keuken

In haar boek *Bloemen op je bord* geeft Greet Buchner een belangrijke waarschuwing voor het gebruik van chrysanten in de keuken,

Chrysanthemum sp.

die waarschijnlijk ook voor andere bloemen geldt: gebruik voor de bereiding van dranken of maaltijden nooit bloemen uit de reguliere handel, omdat deze vaak bespoten zijn en dus giftig. Onbespoten chrysanten uit eigen tuin kunnen wel in soepen en salades gebruikt worden of als thee worden gedronken. In China, Maleisië, Thailand – min of meer overal waar veel Chinezen wonen – vindt men in elke supermarkt een uit chrysanthen bereide drank, en in Korea maakt men uit de wortels een middel tegen hoofdpijn. In Japan en China worden soms de jonge stengels en de bloemhoofden gekookt en als groente gegeten, en ook worden zowel bladeren als bloemen in wijn verwerkt.

Eigenschappen

Meerjarige plant, bloeit ongeveer van mei t/m september, afhankelijk van de soort. Chrysanten komen in alle soorten en maten voor en worden enkele centimeters tot circa 80 cm groot. Het zijn *heliotropen* of zonnevolgers.

Chrysanthemum sp.

Chrysanthemum sp.

Clematis

Clematis spp.
Ranonkelfamilie (Ranunculaceae)

Andere namen: *Bosrank, Bosdruif*
Duits: *Waldrebe, Klematis*
Engels: *Clematis, Old Man's Beard, Traveller's Joy*

Vanwege haar fraaie bloemen in tal van kleuren zien wij clematis tegenwoordig in vele tuinen groeien, langs de muren van dure huizen klimmen of – buiten de stad – vrijstaande brievenbussen vrijwel helemaal bedekken met hun pracht en praal. De plant komt oorspronkelijk uit Azië, voornamelijk uit China en Japan, en zij heeft daar een naam die vertaald 'draad-lotus' luidt; het is namelijk een liaan of winde die gemakkelijk en vlijtig klimt.

Tegenwoordig groeien de vele soorten clematis en hun hybriden vrijwel overal ter wereld. Er bestaat inmiddels zo'n enorme variatie dat er bloemen bestaan met 4, 6, 8 of 10 petalen (bloembladeren) en ze in vrijwel alle kleuren van het spectrum te vinden zijn.

Kleurenscala

geel, blauw, paars, purper, roze, wit

Symboliek

Deze bloemen spelen geen rol van betekenis in heraldiek of mythologie, maar in de bloementaal hebben zij de associatie met ongeduld en vlijt gemeen met het vlijtig liesje (*Impatiens walleriana*).

Geneeskunde en keuken

Ook al is clematis bekend als een van de bloemenremedies, alle delen van de plant zijn bij inname giftig en het in contact komen met het sap veroorzaakt blaren op de huid. Bedenk dat bloemenremedies slechts een zeer kleine en bijzonder sterk verdunde hoeveelheid van de bloemenessence bevatten.

Eigenschappen

Meerjarige planten, bloeien ongeveer van juni t/m augustus, afhankelijk van de specifieke soort. Vrijwel alle soorten kunnen wel 3 tot 8 meter hoog klimmen. De afzonderlijke bloemen hebben een doorsnee van tussen de 4 en 20 cm.

Clematis 'The President'

Clematis 'Nelly Moser'

Dahlia

Dahlia variabilis
Familie der samengesteldbloemigen (Compositae)

Dahlia's zijn oorspronkelijk afkomstig uit Mexico en omstreken, waar zij ook nu nog bekend zijn onder de naam *cocoxochitl*, een typisch Azteeks woord. Onze huidige naam 'dahlia' is ontleend aan de Zweedse botanicus Ander Dahl, maar in Oost-Europese landen zijn deze bloemen vooral bekend als *georgina's*, ter ere van de Russische botanicus Johann Georgi.

De magie van dahlia's zit deels in de prachtige, grote, vaak bolvormige bloemen die zij voortbrengen, maar in het bijzonder in de fantastische kleuren en kleurcombinaties. Door de eeuwen heen is er veel aan de bloemen gesleuteld en zijn er tal van nieuwe variëteiten gekweekt, maar de grote uitdaging – een zuiver blauwe bloem – is nog steeds onbeantwoord. Reeds in 1826 werd er een prijs van duizenden guldens uitgeschreven voor de kweker die dit als eerste voor elkaar krijgt.

Alle dahlia's die tegenwoordig onze tuinen sieren zijn hybriden van hybriden en uiteindelijk afkomstig van vier soorten die ooit naar Spanje en Nederland werden gebracht: *Dahlia pinnata*, *Dahlia rosea*, *Dahlia coccinea* en *Dahlia juarezii*. Deze oorspronkelijke soorten zijn reeds lang uitgestorven, maar ze hebben zich onsterfelijk

Dahlia 'Pfitzer's Joker'

gemaakt in een kleine 50.000 geregistreerde, benoemde en beschreven nakomelingen.

Kleurenscala
vrijwel alle kleuren, zelfs bijna zwart

Symboliek
In de bloementaal zijn dahlia's een symbool geworden voor eigenwaarde en zelfrespect, kwaliteiten die weerspiegeld worden in de rechtopstaande bloemstengels en de opgeheven bloemhoofden.

Geneeskunde en keuken
Dahliaknollen werden in Zuid-Amerika in de tijd van de Azteken als voedsel gebruikt, ongeveer als aardappels. Toen de Spaanse bezetters vanuit Mexico de plant naar Spanje hadden gestuurd en de dahlia's van daaruit ook de rest van Europa bereikten, was men niet zozeer in de bloem geïnteresseerd als wel in de mogelijke voedingswaarde. Er waren echter niet veel proefpersonen die waardering konden opbrengen voor hun specifieke, bittere en peperachtige smaak en het experiment was dus snel vergeten. Dahliaknollen zijn dus wel eetbaar, maar het is aan te bevelen dit voor alle zekerheid alleen met onbespoten planten uit eigen tuin te proberen.

Van de oorspronkelijke soorten werd beweerd dat het eten van de knollen zweet- en urinedrijvend werkte, tegen buikpijn hielp en

zelfs tegen tumoren. Het is echter niet duidelijk wat van deze krachten resteert in de moderne soorten.

Eigenschappen
Bol- en knolgewassen, bloeien ongeveer van juli t/m oktober en bereiken een hoogte tussen de 30 cm en 1,60 m met soms kleine, maar meestal zeer grote bloemen.

Dahlia 'Vuurvogel'

Dahlia variabilis hybride

Dahlia 'Motto'

Duizendblad

Achillea millefolium

Familie der samengesteldbloemigen (Compositae)

Het bescheiden duizendblad is typisch zo'n plant waar de meeste mensen tegenwoordig gewoon overheen kijken: zij heeft geen prachtige kleuren of boeiende vormen die de aandacht trekken. Toch is het een plant die zeer gewaardeerd was bij de Kelten en Grieken in het Westen en de Chinezen in het Oosten.

Kleurenscala

meestal wit, soms roze

Symboliek

De bloem speelt geen belangrijke rol in heraldiek of mythologie, maar haar bekende bloedstelpende eigenschappen werden in China opgevat als een teken van het vermogen harmonie te brengen in een chaotische situatie. Vandaar dat het raadplegen van de I Tjing, het oude en eerbiedwaardige orakelboek, ook bekend als *Het Boek der Veranderingen*, traditioneel met vijftig gedroogde stengels van het duizendblad gebeurde en niet, zoals meestal tegenwoordig, met slechts drie munten. Ook de druïden, dat wil zeggen de priesters en magiërs van de Kelten, benutten oude, gedroogde en gewijde duizendbladstengels om in de toekomst te kunnen kijken, in het bijzonder om weersvoorspellingen te doen.

Geneeskunde en keuken

In het oude Griekenland was de geneeskracht van het *millefolium* (duizendblad) al heel lang bekend. Het draagt de naam *Achillea* ter herinnering aan Achilles, die tijdens de Trojaanse oorlog het kruid voorschreef aan zieke en gewonde krijgers. Homerus vertelt ons zelfs dat deze kennis afkomstig was van de centaur (half man, half paard) Chiron. Dat zo onmiskenbaar een mythische bron wordt aangegeven voor de kennis van het duizendblad is een duidelijke indicatie dat zijn krachten reeds veel eerder – en ook buiten Griekenland – bekend moeten zijn geweest.

In de keuken kunnen bloem en blad, vers of gedroogd, gebruikt worden bij de bereiding van de meest uiteenlopende zaken. Men kan er thee van zetten die helpt de menstruatie te reguleren en ook de spijsvertering verbetert, of men kan het gebruiken als specerij. De bloemen en bladeren hebben een op peper lijkende smaak.

Het kauwen op een vers blad helpt tegen kiespijn en een aftreksel van verse bloembladeren vormt een verkwikkend stoombad voor de gezichtshuid.

Eigenschappen
Meerjarige plant, bloeit ongeveer van juni t/m augustus, bereikt een hoogte van 30 cm tot 1 m met schermen vol kleine bloemen. De bloemen worden veel door vlinders bezocht.

Achillea millefolium

Achillea millefolium

Edelweiss

Leontopodium alpinum

Familie der samengesteldbloemigen (Compositae)

De botanische naam van deze bloem stamt uit de tijd dat men nog dacht dat edelweiss alleen in de Alpen voorkwam, een misverstand dat nog steeds wijd verbreid is, ook in de Van Dale. In werkelijkheid groeit de bloem in alle mogelijke hooggebergten en zij wordt dus ook in de Himalaya en in Zuid-Amerika gevonden. Recent onderzoek heeft aangetoond dat de bloem waarschijnlijk van Aziatische afkomst is.

Nu deze bijzondere bloem in het Alpengebied een bedreigde soort is geworden – door slechte milieuomstandigheden – zijn een aantal bloemen en zaden zelfs overgeplant naar de Verenigde Staten en Nieuw-Zeeland.

Kleurenscala

wit, zilverwit

Symboliek

Symbolische associaties met de edelweiss zijn er alleen in het Alpengebied, dat wil zeggen Oostenrijk, Zwitserland, Zuid-Duitsland en Noord-Italië, waar de afbeelding van de bloem van oudsher ge-

bruikt wordt als brandmerk op paarden (de Haflinger) of als teken op uniformen en als biermerk of als naam voor restaurants en hotels. Als nationale bloem van Oostenrijk vindt men edelweiss ook op diverse muntstukken, zowel de oude schilling als de nieuwe euromunt van 2 cent. Ook in Zwitserland is edelweiss het nationale bloemenembleem.

Volgens een oude mythe, opgeschreven door de gebroeders Grimm, werd edelweiss geboren uit een traan van de wonderschone, maar ook ijskoude en ongenaakbare Sneeuwkoningin, wier aanbidders allen dodelijk verongelukten.

Op deze legende is ook het gebruik in de Alpen gebaseerd, dat jonge mannen een zelfgeplukte edelweiss aanbieden aan hun geliefde als blijk van hun toewijding. Een edelweiss vinden en plukken is namelijk een buitengewoon riskante onderneming, omdat de plant alleen op zeer hoge, ontoegankelijke plekken groeit - aan de rand van de afgrond, hoog boven in de ijle lucht, tussen sneeuw en ijs. Vandaar dat de bloem een symbool is geworden voor moed,

kracht en eer, en voor het overwinnen van innerlijke angst en uiterlijke weerstanden. De soms ook gehoorde associatie van edelweiss
met reinheid, zuiverheid en onschuld is meer toe te schrijven aan
haar kleur; het zijn typische attributen van vrijwel alle witte bloemen of symbolen.

Geneeskunde en keuken
Er zijn geen belangrijke toepassingen van deze bloemen te vermelden.

Eigenschappen
De meerjarige plant met stervormige, fluwelige bloemen met vilt-
achtige haartjes bloeit van juni t/m augustus en is in Zwitserland
wettelijk beschermd.

Leontopodium alpinum

Engelentrompet

Brugmansia spp., Datura spp.

Nachtschadefamilie (Solanaceae)

Andere namen: *Brugmansia, Datura, Doornappel*
Duits: *Engelstrompete* en *Stechapfel*
Engels: *Angel's trumpet* en *Thornapple*

In navolging van bepaalde in de jaren negentig doorgevoerde wijzigingen in de classificatie van planten zullen wij onder de genus *brugmansia* ook bepaalde soorten van doornappel bespreken die tot dan toe – en in veel publicaties ook nu nog – tot de genus *datura* werden gerekend. Er zijn ook overtuigde tegenstanders van deze wijzigingen, maar de nieuwe classificatie wint steeds meer terrein. De nieuwe classificatie is zinvol aangezien alle nu onder *brugmansia* vallende planten buitengewoon veel met elkaar gemeen hebben.

links

Brugmansia suaveolens 'Rosa Traum'

rechts

Datura stramonium

Daarnaast is de eerder gehanteerde naam datura geen Latijnse, botanische naam, maar afkomstig van de Indiase naam (*dhat*) voor de doornappel. Tegenstanders wijzen op het feit dat de *datura*-soorten naar boven gerichte bloesems dragen en *brugmansia* hangende, maar dit verschil valt in het niet bij de vaststelling dat alle planten die nu onder brugmansia vallen trompetvormige trechterbloemen dragen, alle tot de nachtschadegewassen behoren en magische planten of heksenkruiden zijn - en bij tal van volkeren op alle continenten als heilig werden beschouwd. Met andere woorden, het zijn planten waarvan de werkzame stoffen giftig zijn maar ook medicinaal toepasbaar. In een andere context worden zij als bewustzijnsverruimende middelen gebruikt, meestal als onderdeel van een ritueel en met een magisch-spiritueel doel.

De volgende lijst is niet volledig maar toont de soorten en namen die men vaak tegenkomt bij kwekerijen die deze planten aanbieden:

Brugmansia-naam	kleur van de bloemen	Datura-naam
B. arborea	wit	*D. speciosa, D. knightii, D. frutescens*
B. aurea	wit, abrikoos	*D. affinis, D. pittieri*
B. sanguinea	rood en geel (geurloos)	*D. lutea, D. bicolor, D. chlorantha*
B. suaveolens	wit of roze	*D. gardneri, D. suaveolens*
B. versicolor	wit, roze, zalmroze	*D. mollis*
eenjarige plant, niet bij B. behorend	wit	*Datura stramonium*
eenjarige plant, niet bij B. behorend	blauw-paars, binnen wit	*Datura metel*

Kleurenscala
zie bovenstaande tabel

Symboliek
Een Duitse legende verklaart het bestaan van de doornappel (Duits: *Stechapfel*) en andere zogenaamde heksenkruiden uit de zondeval van *Eva* en *Adam*. Toen de god van het Oude Testament de 'duivelse' slang vervloekt had, ontstak deze in razernij en spuugde zijn gif op de grond. Giftige planten zoals datura en belladonna ontsprongen aan de vergiftigde bodem.

Bij andere volkeren en in andere culturen waren engelentrompet en doornappel juist uitingen van het goddelijke en werden ze gezien als een geschenk aan de mens om achter de sluier van de materiële wereld te kunnen kijken, en als voertuig voor de ziel om verre reizen door tijd en ruimte te kunnen maken. Priesters en ingewijden in India en Pakistan, sjamanen in de bergen en steppes van Noord-Azië en medicijnmannen in Noord- en Zuid-Amerika beschouwden de planten als heilig en gebruikten ze als zodanig in rituelen.

Geneeskunde en keuken

Alle delen van de bovengenoemde planten zijn giftig, waarbij speciaal de bloemen of vruchten bijzonder giftig zijn. Het is uiterst riskant deze planten op eigen houtje en zonder deskundige te gebruiken! Sommige mensen zijn overgevoelig voor de zware zoete geur van sommige bloemen en krijgen er hoofdpijn van.

De in Europa in het wild groeiende *Datura stramonium* met zijn witte bloemen en stekelige vruchten wordt ook dolappel genoemd en is al eeuwen bekend vanwege zijn zeer uiteenlopende effecten. Aftreksels van gemalen pitten werden door dieven en pooiers misbruikt om hun slachtoffers te verdoven, anderen gebruikten de plant om hun potentie te verhogen of te herstellen, en weer andere bereidingen werden door artsen toegepast als middel tegen epilepsie en krankzinnigheid. Uit de bladeren kunnen sigaretten voor astmapatiënten worden gemaakt.

Ook in de homeopathie heeft deze plant haar kwaliteiten bewezen. Zeer diverse aandoeningen als zenuwpijn, aambeien of huiduitslag kunnen ermee worden behandeld. Tezamen met bestanddelen als belladonna was datura ook een van de ingrediënten van de beruchte heksenzalven. Men smeerde deze zalf in de okselholtes, op de binnenkant van de dijen en rondom de geslachtsdelen teneinde in een diepe trance te geraken die tot een soort astrale reis leidde. Verhalen over wat in die toestand werd gezien hebben later geleid tot het bijge-

loof dat heksen op bezemstelen door de lucht zouden vliegen. In dit verband is het interessant te weten dat de krachtige werkzame stof in datura, *scopolamine*, tegenwoordig gebruikt wordt in middelen tegen zee-, lucht- en wagenziekte.

De diverse *brugmansia*-soorten hebben hun oorsprong voornamelijk in Zuid-Amerika en staan bij de volkeren in het Amazonegebied, maar ook in Peru en Chili sinds mensenheugenis bekend als medicinale planten, onder meer tegen reuma, en ze worden mede daarom doelgericht verbouwd. Meestal worden de zaden fijngemalen en tot thee verwerkt. Ook is het mogelijk delen van de planten te roken.

Eigenschappen

Op de eenjarige blauwe en witte doornappels (*Datura metel, Datura stramonium*) na zijn al deze planten meerjarige struiken of bomen. Veel van deze soorten zijn tegenwoordig vrij verkrijgbaar bij kwekerijen en ze beginnen geliefde kuipplanten te worden. Het zijn krachtige, snelgroeiende planten die elk jaar fantastische bloemen voortbrengen (circa 50 cm lang bij *Brugmansia sanguinea*), vaak met een heerlijke maar ook bedwelmende geur.

ta bijvoorbeeld – bij de Maori bekend als *Kotokutuku* – als make-up voor jonge vrouwen, haar paarse bessen als zoete delicatesse en het duurzame, vuurvaste hout als bouwmateriaal. De Maori gebruikten ook een preparaat dat mede uit fuchsiabladeren werd bereid voor een soort mummificatieproces om de prachtig getatoeëerde hoofden van gedode krijgers te conserveren.

Eigenschappen

Fuchsia's zijn struiken of bomen en bloeien meestal in de zomer, maar sommige soorten ook later in het jaar tot de eerste nachtvorst.

Afhankelijk van de soort kunnen fuchsia's een hoogte bereiken van 1 tot 15 meter. Net als amaryllis en heliconia worden fuchsia's in hun natuurlijke omgeving door kolibries bezocht die voor de bestuiving zorgen. In ons klimaat zijn het meestal hommels die deze functie overnemen. Zij kunnen echter de smalle en diepe toegang tot de nectar van sommige bloemen niet in zonder de bloemen daarbij te beschadigen.

Fuchsia 'Cannenburgh Floriant'

Fuchsia 'Lady Boothby'

Fuchsia 'Flora'

Fuchsia 'La Campanella'

Fuchsia 'Annabel'

Fuchsia 'Supersport'

Gardenia

Gardenia spp.

Koffie-, Kinine- en Gardeniafamilie (Rubiaceae)

Andere namen: *Knoopsgatbloem*
Duits: *Gardenie*
Engels: *Gardenia, Cape Jasmine*

De gewone gardenia (*Gardenia augusta*) stond voorheen bekend onder de intussen verouderde naam Gardenia jasminoides, waaruit destijds ook de naam *Kaapse jasmijn* is ontstaan. Gardenia en jasmijn hebben echter niets met elkaar gemeen, behalve dat ze beiden een sterke geur verspreiden. Beide namen komen nog regelmatig voor in de literatuur en op de markt. De naam *gardenia* kreeg de plant ter ere van de arts en plantenverzamelaar Dr. Alexander Garden. Deze Engelsman was echter niet haar ontdekker maar slechts een goede vriend van een goede vriend van Linnaeus, de man die honderden planten classificeerde en botanische namen gaf. De bloemen worden in Angelsaksische landen soms in een knoopsgat gedragen en daaraan hebben ze de volksnaam knoopsgatbloem te danken.

Een van de bij ons voorkomende gardenia's, de witte *Gardenia thungergia*, komt van origine uit zuidelijk Afrika. Van daaruit werd de plant voor het eerst in 1754 naar Europa gebracht. De volle, witte bloemen zijn niet alleen adembenemend mooi maar geven ook nog eens een sterke zoete geur af. Andere gardenia's zijn afkomstig

uit Japan, Taiwan en China, landen waar de bloemen niet alleen vanwege hun geur en pracht bekend zijn maar ook om hun medicinale werking.

Kleurenscala

wit

Symboliek

In China, waar elke maand van het jaar een bloem of vrucht als symbool heeft, is de gardenia het symbool voor de elfde maand (zie appendix blz. 190).

Geneeskunde en keuken

In westerse landen worden gardenia's voornamelijk gebruikt in parfums en dergelijke, bijvoorbeeld eau-de-toilette, zeep en geurkussentjes. In de aloude Chinese traditionele geneeskunde heet de gardenia *Zhi Zi* of *kruid van gelukzaligheid*. Deze naam verwijst naar de werkzame stoffen, onder andere *gardenine*, die kalmerend werken en zowel prikkelbaarheid en rusteloosheid tegengaan als ook koorts of hoofdpijn. Daarnaast heeft de gardenia ook een versterkend effect op de lever.

Zij wordt ook bij hepatitis ingezet. Tegenwoordig wordt de therapeutische betekenis van gardenia's ook door sommige westerse geneeskundigen onderkend. Er bestaan capsules, tincturen of theeën met gardenia als belangrijk bestanddeel.

In Thailand wordt gardenia-olie gewonnen om aan thee een verfijnde smaak te geven. De bij ons verkrijgbare essentiële olie van gardenia is echter te sterk geconcentreerd en daardoor ongeschikt voor inname of consumptie.

Eigenschappen

Meerjarige plant, bloeit ongeveer van juni t/m september, bereikt een hoogte tot circa 1,50 m met bloemen van 8 tot 10 cm doorsnee. De planten zijn zeer temperatuurgevoelig en in ons klimaat is het vrij moeilijk om ze over te houden.

Gardenia jasminoides

Gardenia jasminoides

Gentiaan

Gentiana spp.
Gentianenfamilie (Gentianaceae)

Andere namen: *Bitterwortel, Apenhout*
Duits: *Enzian, Bitterwurz, Himmelsstengel*
Engels: *Gentian*

De talrijke soorten van de gentianenfamilie worden onderverdeeld in grote gentianen en kleine gentianen. Al deze planten zijn oorspronkelijk afkomstig uit Midden- en Zuid-Europa en groeien bijzonder goed op de kalkrijke gronden van Frankrijk, Italië en Zwitserland.

De kleine gentianen zijn vooral interessant als sierplanten. Vooral de stengelloze alpengentiaan (*Gentiana acaulis*) met zijn schitterende blauwe kleur is vermeldenswaard en ook de bekende zijdeplantgentiaan (G. asclepiadea) die het in ons land heel goed kan doen in de tuin. De al even mooie grote gentianen staan bekend om de stoffen in hun wortels die verwerkt worden in medicijnen en kruidenbitters. Deze soorten, in het bijzonder de gele *Gentiana lutea*, komen in het wild nauwelijks meer voor, maar worden wel professioneel geteeld.

De gentianen dragen terecht de naam bitterwortel, want sommige bittere stoffen van deze planten zijn zelfs bij een verdunning van 1 op 20.000 nog duidelijk te proeven.

Kleurenscala
blauw, geel, lavendel, roze

Symboliek
In Oostenrijk, Zwitserland en Zuid-Duitsland is de bloem zeer geliefd en beroemd zodat er tal van hotels, restaurants en volksdansgroepen te vinden zijn met de naam *Enzian*. In de Tweede Wereldoorlog maakten de Duitsers zelfs een luchtraket die de naam Enzian droeg, waarschijnlijk gebaseerd op een oude naam voor de plant: *Himmelsstengel* (hemelsstengel).

De gentiaan staat ook afgebeeld op de Oostenrijkse munt van 1 eurocent.

Geneeskunde en keuken
De geneeskrachtige werking van gentiaan was reeds bekend in het oude Griekenland en werd door de artsen toentertijd aanbevolen tegen reuma en jicht. In de meer recente Europese volksgeneeskunde werd gentiaan toegepast ter genezing van bloedarmoede en als koortsremmend middel; het blijkt zelfs te kunnen helpen tegen malariakoorts.

De bekendste en betrouwbaarste toepassing van gentiaan draait echter om diverse soorten maag- en darmklachten. Afhankelijk van het preparaat en de manier van inname – als thee, kruidenbitter of homeopathisch middel – wordt gentiaan ingezet als kalmerend of stimulerend middel, als eetlustopwekker of ter verbetering van de spijsvertering, als laxeermiddel of om misselijkheid tegen te gaan. Vele gentianen zijn licht giftig, anderen dermate giftig dat een overdosis zelfs tot verlamming kan leiden. Ook in homeopathische middelen zijn de werkzame stoffen nog zo krachtig dat zelfs deze verdunde middelen tijdens zwangerschap en borstvoeding niet gebruikt mogen worden.

Eigenschappen

Meerjarige plant, bloeit in juli en augustus, bereikt een hoogte van 5 tot 10 cm met bloemen van circa 1 tot 2 cm doorsnee, groeit – in het wild – voornamelijk in bergen op een hoogte tussen de 1.000 en 2.000 meter. Bosgentiaan kan wel 50 tot 60 cm groot worden.

Gentiana clusii

Gentiana clusii

Gentiania hybride

Gladiool

Gladiolus spp.
Lissenfamilie (Iridaceae)

Andere namen: *Hemelsladder, Zwaardlelie*
Duits: *Gladiole*
Engels: *Gladiolus, Sword lily, Corn iris*

De oorspronkelijke gladiolen zijn voornamelijk inheems in zuidelijk Afrika, op enkele uitzonderingen na die bijvoorbeeld in en rond Griekenland thuishoren (*Gladiolus illyricus*) of een zeldzame soort die op de Britse eilanden groeit. Tegenwoordig worden gladiolen in zeer grote verscheidenheid gekweekt. Er zijn honderden gecultiveerde vormen die zich intussen hebben aangepast aan de noordelijke klimaatzones. Wel moeten de knollen voor de winter uit de aarde gehaald en opgeslagen worden. De meeste gladiolen hebben weinig of geen geur. Een aangename uitzondering hierop vormt *Gladiolus callianthus*, beter bekend als *Abessijnse gladiool*.

Kleurenscala
geel, roze, rood, wit

Symboliek
In Griekenland werd de daar inheemse gladiool soms *xiphium* genoemd, van het Griekse *xiphos* of zwaard, maar ook wel *hyakinthos*. Dit tweede woord is de naamgever van onze hyacint geworden, maar in het oude Griekenland werden zowel de gladiool en de hyacint als soms de inheemse orchidee met *hyakinthos* aangeduid, net zo als *xiphium* niet alleen gereserveerd was voor de gladiool maar ook voor de iris. Precies vaststellen welke bloem in oude Griekse teksten bedoeld wordt is dan ook een hachelijke zaak, maar wij kunnen er wel van uitgaan dat de gladiool veel betekenissen met de hyacint gemeen heeft, met name rouw en verdriet.

In de hedendaagse bloementaal heeft de bloem haar symboliek vooral te danken aan de associatie met het zwaard (Latijn: *gladius*) en daarmee met gladiatoren. Vandaar dat de bloem gezien wordt als symbool voor kracht en wilskracht, een sterk karakter en integriteit. De zwaardsymboliek is niet op de bloemen gebaseerd maar op de bladvorm van de plant. Die was ooit zelfs aanleiding voor het bijgeloof dat het bij zich dragen van gladiolen tegen zwaardsteken zou kunnen beschermen.

Geneeskunde en keuken
Wij kweken gladiolen alleen voor de kleurrijke bloemen en hebben vergeten - of nooit geweten - dat de knollen eetbaar zijn. In Afrika

Gladiolus 'Spring Green'

Gladiolus 'Serafin'

echter, waar de gladiool oorspronkelijk vandaan komt, was zij meer een voedselplant met opvallende bloemen dan een sierplant met eetbare knollen. Geroosterd smaken de knollen naar kastanjes.

Gegevens over vroegere toepassingen in de geneeskunde zijn schaars. Gedroogde en gemalen knollen werden, vermengd met geitenmelk, ingenomen tegen buikkrampen. Een brij van gladiolenmeel werd ook uitwendig toegepast en kon, naar men geloofde, splinters uit de huid te trekken.

Eigenschappen

Bol- en knolgewas, bloeit ongeveer van juni t/m september, bereikt een hoogte van 40 cm tot 1,40 m.

Abessijnse gladiool (*Gladiolus callianthus*)

Goudsbloem

Calendula officinalis

Familie: Samengesteldbloemigen (Compositae)

Andere namen: *Dodenbloem, Guldenbloem, Oranjebloem, Wrattenkruid*
Duits: *Ringelblume, Gartenringelblume, Gilgenkraut, Goldblume, Totenblume*
Engels: *Marigold, Pot marigold*

Zeer oude en geneeskrachtige bloem die oorspronkelijk uit het Middellandse-Zeegebied afkomstig is, maar zich intussen over heel West-Europa verspreid heeft, inclusief de Britse eilanden. De naam *calendula* is gebaseerd op het Latijnse woord *calendae* (eerste dag van de maand) en refereert aan het feit dat de goudsbloem de hele zomer door elke maand opnieuw bloeit.

Kleurenscala

abrikooskleurig, geel, goudgeel, oranje

Symboliek

In het Middellandse-Zeegebied, met name in Griekenland, was de goudsbloem een symbool zowel voor dankbaarheid als voor liefdevolle herinnering. Dit laatste leidde ertoe dat de goudsbloem vaak op het graf van een dierbare werd geplant of afgebeeld op een grafmonument. Deze traditie verbreidde zich ook naar het noorden van Europa, vandaar ook de naam dodenbloem. Door een eeuwenlange associatie met de dood verschoof de betekenis van liefdevolle herinnering naar verdriet, pijn en droefenis. Vanwege deze nieuwe betekenis werd de bloem binnen het christendom ook een symbool van Maria. In haar smart over de kruisiging van haar zoon zou zij deze bloem op haar boezem hebben gedragen. De Engelse naam voor de goudsbloem, *marigold* (Maria's goud), getuigt van deze legende. Goudsbloemen waren vroeger veel in kloostertuinen en bij kerken te vinden om maandenlang over bloemen te beschikken ter decoratie van de kerk.

In China is de goudsbloem juist geen symbool van de dood maar van een lang leven of zelfs van onsterfelijkheid; zij draagt namelijk de namen 'bloem van het eeuwige leven' en 'bloem van tienduizend jaren'. Ook in India hecht men een heel andere waarde aan de goudsbloem. Indiase gelovigen gebruiken deze bloemen samen met de afrikaantjes (zie blz. 18) voor het versieren van de beelden van godinnen en goden met bloemenslingers. De goudsbloem is met name voorbehouden aan de god *Krishna*.

In Nederland met zijn nationale voorliefde voor de kleur oranje kon het natuurlijk niet uitblijven dat de bloem ook tot oranjebloem werd gedoopt en op die manier een symbool werd voor het 'oranjegevoel', of dat nu gericht is op het koninklijk huis of het nationale voetbalelftal.

Geneeskunde en keuken

De naam wrattenkruid geeft een van de traditionele functies van de goudsbloem aan – een geneesmiddel tegen wratten – maar de plant wordt sinds jaar en dag tegen veel meer aandoeningen gebruikt. De goudsbloem bevat stoffen die bijdragen aan wondgenezing en die ontstekingen tegengaan, maar ook stoffen die de transpiratie bevorderen en krampen opheffen. Deze eigenschappen zijn ten minste sinds de Middeleeuwen bekend en de goudsbloem werd toen al als geneeskruid geteeld. Goudsbloemen werden bijvoorbeeld ook door Hildegard von Bingen aanbevolen, zowel voor de behandeling van onzuiverheden van de huid als tegen hoofdpijn. Ook tegenwoordig nog wordt goudsbloemtinctuur in de kruidengeneeskunde gebruikt, bijvoorbeeld bij tandvleesontsteking, bij leverkwalen of als middel tegen ringwormen. Een heel andere toepassing van de goudsbloem heeft te maken met haar kleur. In plaats van het relatief dure saffraan is men ooit begonnen de goudsbloem te gebruiken om boter en kaas een mooie kleur te geven of om soepen, rijst of andere gerechten geeloranje te kleuren. In Engeland werd de goudsbloem blijkbaar bijzonder gewaardeerd. Er zijn recepten waarbij de bloem niet alleen kleur geeft aan het eten maar ook verwerkt wordt vanwege haar smaak.

Voorbeelden van zulke recepten zijn te vinden in *Bloemen op je bord* van Greet Buchner.

Eigenschappen

Eenjarige plant, zonnevolger, bloeit van juni t/m september, wordt 30 à 70 cm groot, heeft veel zon nodig en voedselrijke, losse grond. Het weghalen van de uitgebloeide bloemen stimuleert de vorming van nieuwe bloemknoppen.

Heliconia

Heliconia spp.

Heliconiafamilie (Heliconiaceae)

Evenals de paradijsvogelbloemen werden ook de vele soorten heliconia's lange tijd tot de bananenfamilie (*musaceae*) gerekend. Zij zijn dan ook aan deze familie verwant en vaak in de buurt ervan te vinden in tropische en subtropische klimaatzones. De circa 250 bestaande soorten en variëteiten van heliconia's vallen uiteen in twee duidelijk herkenbare categorieën, namelijk planten met rechtopstaande danwel hangende bloemen. Oorspronkelijk zijn ze afkomstig uit Midden- en Zuid-Amerika en de Caraïbische eilanden. Tegenwoordig vindt men de planten ook op Hawaï en in de tropische gebieden van Azië. In het wild groeien de planten zo snel en krachtig dat men ze plaatselijk zelfs als onkruid beschouwt. Platgebrand regenwoud is enkele jaren later volledig door heliconia's overwoekerd.

Kleurenscala
geel, groen, oranje, rood, wit

Symboliek
De botanische naam *heliconia* is gebaseerd op de bekende berg Helicon die een interessante rol speelt in de Griekse mythologie. Deze berg heeft een heetwaterbron waaruit de negen *muzen* de inspiratie

Heliconia rostrata

'Hangende Kreeftenschaar'

putten, wat hen heeft gemaakt tot de ook tegenwoordig nog bekende godinnen van alle vormen van kunst. Het is een perfect beeld voor deze groep heel bijzondere, haast buitenaards aandoende bloemen die zowel elegantie en subtiliteit als kracht en paradijselijke weelde uitstralen.

Het is dus geen wonder dat heliconia's in de bloementaal staan voor inspiratie en kunstzinnigheid. Gezien de buitenissige en surrealistische vormen die sommige planten vertonen, is het ook een mooie vondst om een variëteit die enkele jaren geleden is gekweekt *Heliconia* 'Salvador Dali' te noemen.

Geneeskunde en keuken

Het is al lang bekend dat inheemse volkeren in Brazilië en andere landen van Midden- en Zuid-Amerika uit delen van de heliconia geneesmiddelen bereidden, maar slechts twee toepassingen zijn bewaard gebleven, beiden van de soort *Heliconia rostrata* die ook bekend is als *Hanging Lobster-claw* (hangende kreeftenschaar). Het dikke, stroperige sap dat de bloemen produceren is bruikbaar voor een gezichtsmasker tegen acne, en een poeder dat uit de wortels wordt bereid helpt bij de genezing van wonden. Deze planten zijn echter vooral belangrijk voor het gehele ecosysteem en zij beschermen de plaatselijke bevolking op een onzichtbare manier. Net als de amaryllis is ook de heliconia zeer geliefd bij kolibries. Deze vogeltjes zijn dol op heliconianectar en doden tevens gevaarlijke malaria-muskieten. Het zijn dus in wezen de kolibries die de mens bescherming bieden tegen deze ziekte, maar de heliconia is hierbij een belangrijke tussenschakel.

Heliconia's hebben nog meer praktische toepassingen. De bladeren worden bijvoorbeeld in Mexico en het Caraïbische gebied gebruikt om voedsel in te verpakken en soms zelfs als dakbedekking bij eenvoudige huisjes of hutten.

Tips en eigenschappen

Meerjarige planten die - afhankelijk van de soort - een hoogte bereiken tussen 75 cm en 7 m. Deze tropische planten kunnen in onze streken alleen in kassen of ook wel binnenshuis overleven en zijn voornamelijk als snijbloemen verkrijgbaar. Zo kunnen ze soms wel een maand lang de kamer sieren.

Heliconia psittacorum

Heliconia sp.

Heliconia bihai

Heliconia chartacea 'Sexy Pink'

Heliconia psittacorum 'Parrot's Beak'

Hibiscus

Hibiscus spp.

Katoen-, stokrozen- en malvafamilie (Malvaceae)

De mooie, welriekende eendagsbloem met de naam hibiscus is oorspronkelijk afkomstig uit Aziatische landen als China, Indonesië en Maleisië, maar komt ook al eeuwenlang voor op diverse eilanden in de Stille Oceaan, bijvoorbeeld Fiji en Hawaï.

De hibiscus staat bekend om haar grote variëteit aan kleuren en kleurcombinaties, waarvan sommige op natuurlijke wijze zijn ontstaan en andere door bewuste kruising van bestaande soorten.

Ook al bestaan er meerdere soorten hibiscus, bijvoorbeeld *Hibiscus waimeae* (uit Hawaï) en *Hibiscus schizopetalus* (met gespleten bladeren), de soort die men zowel in de natuur als in de literatuur het meest te zien krijgt, is de ook als 'Chinese roos' bekende *Hibiscus rosa-sinensis*. Deze en andere soorten worden wereldwijd, van Afrika tot India en van China tot Egypte, als medicinaal waardevolle planten beschouwd en als ingrediënt gebruikt in theemengsels of andere dranken en voedsel.

Kleurenscala

geel, oranje, rood, roze, wit

Symboliek

In China, waar de hibiscus een van de belangrijkste bloemen is, staat zij voornamelijk voor rijkdom, roem en andere vormen van glorie. Men gebruikt de hibiscus graag als vergelijking voor aantrekkelijke vrouwen. Een mooie vrouw wordt 'hibiscusgezicht' genoemd, 'waterhibiscus' wijst op een meisje dat een bad neemt, en 'achter het hibiscusgordijn' verwijst naar de activiteiten in een bordeel. Ook elders worden de bloemen geassocieerd met schoonheid en op Fiji bijvoorbeeld kent men een hibiscusfestival waarbij sinds 1966 de *Miss Hibiscus*-verkiezingen plaats vinden.

In andere Oost-Aziatische landen is de mooie maar snel verwelkende hibiscus een onmisbare bloem geworden voor veel rituelen, en een geliefde offerande die hoort bij elk bezoek aan een tempel. In het bijzonder op Bali worden de bloemen op deze manier gebruikt. Daar worden zij zelfs als heilig beschouwd. Elders, bijvoorbeeld op Hawaï, worden de prachtige tere bloemen tot guirlandes verwerkt, de zogeheten *leis*. Deze guirlandes, die ook van andere bloemen gevlochten worden, biedt men traditioneel aan elke bezoeker van het eiland aan als teken van welkom. Maar ook de jonge Hawaïaanse vrouw gebruikt de hibiscusbloem als sieraad met een symbolische betekenis. Draagt zij een hibiscus boven het rechteroor, dan is zij 'nog vrij', boven het linkeroor betekent het tegendeel.

Hibiscus rosa-sinensis

Hibiscus rosa-sinensis

De hibiscus is het bloemenembleem van Maleisië en ook sinds 1988 van de Amerikaanse staat Hawaï. Het embleem van Hawaï is een inheemse gele soort die daar *Pua Aloalo* heet.

Geneeskunde en keuken

Uit hibiscusbloembladeren worden kleurstoffen bereid om voedsel of dranken te kleuren. Vrouwen in het oude China verfden hun haar ermee. In India en Indonesië werd vroeger het leer van schoenen gekleurd met hibiscus. Zowel de bladeren als de bloemen zijn eetbaar. In Hawaï at men ze rauw, maar in China werden zij eerst een tijd lang ingelegd in azijn. In Afrika wordt een bepaalde soort hibiscus (*Hibiscus sabdariffa*) geplukt en gedroogd om er een (volks)medicijn van te maken dat zowel tegen infecties wordt ingezet als tegen spierkramp. In het oude Egypte werd hibiscus gebruikt bij hartkwalen of zenuwproblemen.

De breedste medicinale toepassing van hibiscus is afkomstig van eilanden als Samoa, Tahiti, Vanuatu en de Filippijnen, waar men niet alleen bloemen en bladeren maar ook wortels en bast gebruikt bij talloze indicaties: menstruatiekrampen, huidproblemen, oogirritaties enzovoorts. Het gebruik van hibiscus wordt afgeraden bij reizigers die anti-malariamiddelen nemen met het bestanddeel chloroquine; hibiscus vermindert de werkzaamheid hiervan.

Eigenschappen

Meerjarige plant met eendagsbloemen, bloeit ongeveer van maart t/m oktober. In de natuur kan de plant een hoogte tot 5 m bereiken, maar bij ons, geplant in een kuip, wordt zij circa 1,50 m groot. De bloemen kunnen meer dan 20 cm groot worden en zijn zeer aantrekkelijk voor vlinders.

Hibiscus rosa-sinensis

Hortensia

Hydrangea spp.
Hortensiafamilie (Hydrangeaceae)

Vroeger werden deze bloemen ingedeeld bij de *Saxifragaceae*, samen met onder andere de aalbes en de steenbreek, maar hun unieke karakter rechtvaardigt een geheel eigen botanische familie voor deze planten. Het merkwaardige en opvallende aan vele hortensia's is dat hun bloemen – op onverklaarbare wijze, dacht men vroeger – binnen een en dezelfde bloeiperiode van kleur veranderen. Witte bloemen worden bijvoorbeeld donkerroze of paarsrood, roze bloemen kunnen na een aantal weken geleidelijk blauw worden.

Zoals altijd in de natuur zijn er uitzonderingen op de regel: de bloemen van *Hydrangea paniculata* bijvoorbeeld zijn altijd wit. Deze bijzondere eigenschap heeft de bloemen eeuwenlang een magisch aura verleend en ook al hebben wij het raadsel opgelost, de hortensia blijft een mysterieuze plant in onze tuinen en op onze balkons.

Tegenwoordig weet men dat de kleur van de bloemen afhangt van de samenstelling van de grond waarin de plant staat, om precies te zijn van de aanwezigheid of afwezigheid van aluminium en ijzer, alsmede van de zuurgraad van de aarde. Een bijzonder intense blauwe kleur ontstaat indien men *ammoniumaluin* toevoegt aan de grond waarin een bolvormige *Hydrangea macrophylla* staat, een

soort die hier bijzonder gevoelig voor is en duidelijk zichtbaar van kleur kan veranderen.

Kleurenscala
blauw, rood, roze, wit

Symboliek

Omdat men lange tijd de oorzaak van de kleurveranderingen van deze planten niet kende, heeft het kameleonachtige gedrag van de hortensia's ertoe geleid dat ze in de bloementaal voor wispelturigheid en onvoorspelbaarheid staan. In het verlengde hiervan zijn de bloemen uiteindelijk zelfs het symbool van opportunisme geworden.

Geneeskunde en keuken

Er zijn geen belangrijke toepassingen van deze bloemen te vermelden.

Eigenschappen

Meerjarige plant, bloeit ongeveer vanaf juli, bereikt een hoogte van circa 1,20 m met grote bloemschermen die vaak heel lang mooi blijven.

Hydrangea sp.

Hydrangea sp.

Hyacint

Hyacinthus orientalis
Leliefamilie (Liliaceae)

Hyacinthus orientalis komt oorspronkelijk, zoals de naam al aangeeft, uit het Nabije Oosten, in het bijzonder uit Turkije. De eerste hyacinten van de winterharde soort bereikten West-Europa pas in de zestiende eeuw. Met de oorspronkelijk slechts in vier kleuren bloeiende plant werd in de jaren daarna driftig geëxperimenteerd met als resultaat dat 150 jaar later reeds tweeduizend gecultiveerde soorten in een breed scala van kleuren verkrijgbaar waren.

Kleurenscala
blauw, blauwpaars, geel, rood, roze, wit

Symboliek
In het oude Griekenland waren hyacinten een symbool van rouw en werden ze vaak tot grafkransen gevlochten. De traditie was gebaseerd op de mythe van *Hyakinthos*, een jongeman die de minnaar was van de god *Apollo*. Toen zij op een keer 'frisbee' speelden met een ijzeren discus, veranderde de jaloerse windgod *Zephyr* het projectiel zo van richting dat het voorhoofd van Hyakinthos geraakt werd en hij ter plekke dood neerviel. Aan het bloed dat op de aarde stroomde ontsprong een bloem met een hangend hoofd. De weeklagende, treurende Apollo noemde haar hyacint.

In de Griekse religie van enkele eeuwen later was de sterfelijke Hyakinthos opgewaardeerd tot god en vierde men elk jaar de *Hyakinthiën*, een drie dagen durend feest waarbij getreurd werd om de doden, maar ook het in leven zijn van de feestgangers gevierd werd.

Dit verhaal is enigszins twijfelachtig aangezien de hyacint reeds in mythen van veel oudere godheden voorkomt. Ook daar is zij weliswaar een dodenbloem, maar in plaats van aan Apollo waren de bloemen gewijd aan *Demeter*, de godin van de vruchtbaarheid, die om haar ontvoerde dochter rouwde.

Tegenwoordig wordt de hyacint niet meer als dodenbloem gezien maar, afhankelijk van de kleur, als een bloem die toewijding en loyaliteit uitdrukt (blauw) of respect en hoogachting (wit).

Dat gele hyacinten een symbool zijn van jaloezie is niet specifiek voor deze bloem; de kleur geel zelf heeft deze associatie en daardoor krijgen gele bloemen in het algemeen die ook.

Geneeskunde en keuken
Alle delen van de plant zijn bij inname giftig, in het bijzonder de bollen; veelvuldige aanraking van de bollen kan jeuk en irritatie veroorzaken.

Eigenschappen
Winterharde bolplant, bloeit van maart tot mei, bereikt een hoogte van 15 tot 30 cm met klokvormige bloemen.

Blauwe druifhyacint   *Hyacinthus orientalis*

Iris

Iris spp.
Lissenfamilie (Iridaceae)

De iris of lis is een plant die thuishoort in de gematigde klimaatzones van het noordelijk halfrond, en veel van de namen voor de als sierplant geteelde bloemen maken dit onmiskenbaar duidelijk. Zo is er een Duitse lis (*Iris germanica*-hybriden), Florentijnse lis (*Iris florentina*), Hollandse lis (*Iris hollandica*-hybriden), Japanse lis (*Iris kaempferi*) en Siberische lis (*Iris sibirica*).

Tegenwoordig bestaan er talloze cultuurvormen en hybriden. Dankzij de vele liefhebbers, hobbyisten en kwekers die vaak alleen met deze bloemen bezig zijn, komen er jaarlijks nieuwe vormen en kleurcombinaties bij. De veelheid aan kleuren en bloemvormen in aanmerking genomen lijkt het wel of de iris voor het noordelijk halfrond is wat de orchidee is voor het zuidelijke: tegelijk bekorend, sensueel en mystiek. Dat wij de plant veel vaker met lis aanduiden dan met iris gaat terug op het feit dat de Franse koningen van Louis VI tot Louis VIII een of meer gestileerde lissen op hun banieren of schilden droegen en munten lieten slaan met een afbeelding van de lis erop. Uit die tijd stamt de naam *fleur de Louis*, een naam die later verbasterd en vereenvoudigd werd tot *fleur-de-lis* of simpelweg lis. In de veertiende eeuw koos ook het Engelse koningshuis de lis tot symbool, als uitdrukking van hun aanspraak op de Franse troon. Andere vorstenhuizen volgden en op die manier werd de lis min of meer tot het symbool van het koningschap in het algemeen. Van Frankrijk tot Nederland, en van Engeland tot Frans-Vlaanderen en zelfs in Italië stond de lis op vlaggen, banieren en schilden.

Kleurenscala
blauw, geel, paars, wit

Symboliek
Net als bij de iris van het oog, het gekleurde vlies waarin zich de pupil bevindt, is ook de naam van de bloem gebaseerd op de Griekse godin *Iris*, die een brug slaat tus-

sen hemel en aarde in de vorm van een regenboog en als bood-schapper fungeert tussen het godenrijk en de mensheid. In de Ta-rot, op kaart 14, *De Gematigdheid*, zijn ook irissen te vinden en wel van de soort *Iris pseudacorus*. Dit is de bij het water groeiende moe-raslis die ook bekend staat als gele lis of ooievaarsbloem.

De symboliek van de iris is echter altijd dezelfde en duidelijk gerela-teerd aan de Griekse godin: een iris betekent primair een bood-schap, een vorm van communicatie. Afgeleid hiervan staat deze bloem ook voor intuïtie, die men als een soort boodschap van het goddelijke of van het hoger bewustzijn kan zien.
In het christelijke geloof heeft men weer anders naar de iris gekeken en zag men in haar drie bloembladeren een weerspiegeling van de drieëenheid, en in de zwaardachtige vorm werden de tranen her-dacht die Maria vergoot toen Jezus aan het kruis door een zwaard verwond werd. Ook buiten Europa is de iris een symbolische bloem; in Egypte bijvoorbeeld was het de bloem van de welbespraaktheid, en in de islam plantte men witte irissen op het graf als teken van rouw.

De iris of *fleur-de-lis* is het bloemenembleem van Frankrijk, maar ook van de Amerikaanse staat Tennessee. Ook Jordanië heeft de iris als nationale bloem geadopteerd, maar dan specifiek de zogeheten 'zwarte iris', dat is een diep donkerpaars-blauwe soort.

Geneeskunde en keuken
Tegenwoordig worden irissen ook in warmere klimaatzones ge-teeld, en niet alleen als sierplant. De wortels, in het bijzonder van de *Florentijnse lis* of *Iris florentina*, worden op grote schaal in de cos-metica- en parfumindustrie gebruikt en de wortels van bepaalde soorten van *Iris germanica* worden medicinaal toegepast en in li-keurstokerijen gebruikt.

Let op: blad en wortels zijn bij inname giftig.

Eigenschappen

Komen als bol- en knolgewas voor, maar ook met wortels; bloeien voornamelijk in mei en juni maar sommige soorten ook later, ongeveer tot september. De grootte varieert van 15 cm tot 1,20 m.

Irissen kweken is een kwestie van geduld, want de planten zullen de eerste jaren nog maar weinig bloemen dragen; pas na enkele jaren bloeien zij rijkelijk.

Dwergiris 'Morning Show'

Iris in knop

Magie der Bloemen

Dwergiris 'Hattrick'

Dwergiris 'Shenanigan'

Jasmijn

Jasminum spp.

Olijven- en Seringfamilie (Oleaceae)

Jasmijn is een plant die bekend is vanwege haar medicinale kwaliteiten en geliefd om haar geur. In de westerse talen is de naam nog vrijwel hetzelfde als in het oude Perzië, waar de plant *yasmin* genoemd werd en men reeds de bloembladeren in vaten sesamolie onderdompelde om de geur aan de bloemen te onttrekken en te bewaren.

Hoewel zij oorspronkelijk afkomstig is uit het Himalaya-gebergte – nu verdeeld over de landen Bhutan, China, India, Nepal, Pakistan en China – vindt de hedendaagse commerciële kweek van jasmijn vooral plaats in Spanje, Frankrijk, Italië en diverse landen in het Nabije Oosten. De beste planten voor medicinale toepassingen zijn de voornamelijk in Azië groeiende soort *Jasminum officinale*, terwijl de grootbladige planten van *Jasminum grandiflorum* vooral gewaardeerd worden om hun geurstoffen. De herkomst van de plant blijft ook in deze landen voelbaar: bloemen die op grotere hoogte groeien hebben een meer verfijnde geur.

Er zijn een aantal planten die jasmijn genoemd worden of in hun botanische namen het woord *jasminoides* hebben staan. Deze planten zijn echter geen jasmijnsoorten, maar lijken alleen maar op jasmijn of hebben een geur die aan jasmijn doet denken. Voorbeelden hiervan zijn boerenjasmijn (*Philadelphus coronarius*), Kaapse jasmijn (*Gardenia jasminoides*) of de giftige klimplant die als aardappelnachtschade (*Solanum jasminoides*) en als *White Potato Vine* bekend staat.

Kleurenscala
voornamelijk wit, soms geel of roze

Symboliek
Jasmijn is het bloemenembleem van zowel Pakistan als Indonesië, waar de plant bekend is onder de naam *melati*.

Geneeskunde en keuken
In de hedendaagse cosmetische industrie wordt *Jasminum grandiflorum* in dure en exclusieve parfums gebruikt, maar de geur – afkomstig van echte bloemen of kunstmatig geproduceerd – wordt ook aan zeep, shampoo en crèmes toegevoegd.
Naast deze cosmetische toepassingen wordt van gedroogde bloemen (*Jasminum officinale*) thee gemaakt of ze worden toegevoegd aan zwarte of groene thee of kruidentheemengsels; meestal meer

om de geur en smaak dan om medicinale redenen. Op dit vlak is jasmijn echter ook reeds eeuwen bekend. Zij werd in de geneeskunde toegepast als middel tegen darmparasieten, baarmoederpijn, ademhalingsproblemen en soms zelfs tegen kanker. In de tegenwoordig populaire aromatherapie wordt essentiële jasmijnolie gebruikt als middel tegen stress, angst en depressie. Een paar druppels jasmijnolie in het badwater kan rustgevend en verfrissend werken. De geur van jasmijn gaat heel goed samen met die van sandelhout; enkele druppels van beide vermengd in een neutrale massageolie zorgt voor een extra aangename massage.

Eigenschappen

Meerjarige klimplantachtigen die van juni tot september bloeien en een hoogte tot 10 m kunnen bereiken. Er bestaat echter ook winterjasmijn (*J. nudiflorum*). De bloeitijd daarvan valt tussen november en maart en de bloemen hebben geen geur.

Net als bij engelentrompet en witte lelie zijn sommige mensen min of meer allergisch voor de zware, soms bedwelmende geur.

Jasminum officinale

Solanum jasminoides

Kamille

Matricaria chamomilla, Anthemis spp.
Familie der samengesteldbloemigen (Compositae)

Andere namen: *Kamomille, Moederkruid, Stinkbloemen*
Duits: *Kamille, Hundskamille*
Engels: *Camomile*

Uit de verscheidenheid van Latijnse en Nederlandse namen voor deze bekende plant is meteen op te maken dat er verschillende planten bestaan die in het dagelijks taalgebruik gewoon kamille genoemd worden. In bronnen uit de tijd dat er nog geen duidelijke botanische classificatie bestond, is vaak niet te herkennen over welke van deze soorten, die inheems zijn in Europa en westelijk Azië, gesproken wordt.

In de loop van de tijd zijn er tal van termen en volksnamen ontstaan die bedoeld waren om de diverse soorten van elkaar te onderscheiden, maar dat is duidelijk niet helemaal geslaagd. De een zegt bijvoorbeeld gele kamille tegen de bloem die iemand anders reukloze kamille noemt; weer een ander beweert dat reukloze kamille witte bloemen draagt net als echte, valse, stinkende, Duitse en Roomse kamille.

Er zit geen systeem in en alleen de botanische namen geven enig houvast. Indien niet anders vermeld, heeft alle hieronder gegeven informatie betrekking op de echte kamille, officieel bekend als *Matricaria chamomilla*.

Kleurenscala
geel, wit

Echte kamille   *Matricaria chamomilla*

Reukloze, gele kamille   *Matricaria maritima*

Symboliek

De geneeskrachtige, zuiverende werking van kamille heeft diverse vormen van bijgeloof rond kamille geïnspireerd. Mensen in diverse landen geloofden dat kamille magische krachten had: binnenshuis opgehangen zouden de bloemen het huis zuiveren en beschermen, rond een huis verstrooid zou kamille de inwoners tegen vervloeking en betovering beschermen. Professionele kaartspelers gebruikten kamille-extract om hun handen te wassen en extra zuiver en gevoelig te maken; ze dachten daarmee hun winstkansen bij het kaartspel te vergroten. Ook geloofde men, net als met madeliefjes, dat op 24 juni geplukte kamille – de naamdag van de heilige Johannes de Doper – extra krachtig zou zijn.

Al voor de tijd van Sint Jan echter, lang voor het christendom, was de bloem gewijd aan de Germaanse god *Balder* (of *Baldur*) en droeg de naam *Balderbra*, Balders wenkbrauwen. Samen met deze zonnegod speelde de kamille dan ook een bijzondere rol bij de zomerzonnewende, het *Litha-feest* (midzomer) rond 21 juni. Op deze dag werden magische kruiden verzameld, liefdesdranken bereid en rituelen uitgevoerd ter bescherming tegen het kwaad, ziekte en ongeluk. Het latere Sint-Jansfeest heeft vrijwel al deze functies overgenomen en de magisch-geneeskrachtige planten, van kamille tot sint-janskruid, werden beschouwd als een zegen van deze christelijke heilige en zijn god.

De echte kamille, *Matricaria chamomilla*, is het nationale bloemenembleem van Rusland.

Geneeskunde en keuken

De geur van kamille wordt vaak omschreven als een geur van appels gemengd met hooi, maar wie vaak genoeg de geur van deze kleine bloemen heeft geroken kent hem gewoon als 'krachtige kamille-geur'. De planten worden niet zozeer gewaardeerd vanwege hun geur als wel om hun kalmerende werking en geneeskrachtige toepassingen. Van gezichtsstoombad tot middel om ruwe handen zachter te maken, van oogbad tot ontstekingsremmer en van rustgevende thee voor kinderen tot middel tegen nachtmerries of spijsverteringsproblemen - kamille heeft in de loop van de eeuwen talloze mensen van talloze kwalen afgeholpen.

Eigenschappen

De echte kamille is een eenjarige plant, bloeit ongeveer van mei t/m augustus, en bereikt een hoogte van 15 tot 30 cm met kleine bloemhoofdjes van circa 2 cm.
Roomse kamille (*Anthemis nobilis*) en gele kamille (*Anthemis tinctoria*) hebben gele bladeren en de planten worden tot circa 75 cm groot. Er zijn ook kamillesoorten die winterhard en meerjarig zijn.

Roomse kamille   *Anthemis nobilis*

Echte kamille   *Matricaria chamomilla*

Reukloze, gele kamille   *Matricaria maritima*   Echte kamille   *Matricaria chamomilla*

Kamperfoelie

Andere namen: *Bokkenblad, Geitenblad*
Duits: *Geissblatt, Wald-Geissblatt*
Engels: *Honeysuckle*

Lonicera spp.

Vlier- en Kamperfoeliefamilie (Caprifoliaceae)

Wilde kamperfoelie (*Lonicera periclymenum*) is een inheemse klimplant die in de zomer talloze bloemen draagt en gedurende de avonduren een heerlijke geur verspreidt. Dit geldt met name voor de als sierplanten gekweekte soorten, *Lonicera fragrantissima* en andere, die eerder vanwege hun geur dan om hun bloemen in onze tuinen te vinden zijn. De Latijnse naam is ontleend aan Adam Lonitzer, een zestiende-eeuwse Duitse arts en schrijver. De Nederlandse naam van het botanische geslacht – *caprifolia* betekent geitenblad – en de Engelse naam *honeysuckle* (honingzuigen) zijn afgeleid uit de praktijk. Vele generaties kinderen hebben de zoete nectar uit de bloemetjes gezogen. Het feit dat geiten verzot zijn op de bladeren van deze plantenfamilie heeft tot de Nederlandse en Duitse namen voor kamperfoelie en haar verwanten geleid. Kamperfoelie komt op het hele noordelijk halfrond voor en is in Japan en China net zo ingeburgerd als in Noord-Europa. De meeste van de circa 200 kamperfoeliesoorten dragen gele of witte bloemen, maar daarnaast bestaat bijvoorbeeld ook *Lonicera sempervirens*,

een plant met welriekende, scharlakenrode, trompetvormige bloemen.

Kleurenscala

geel, rood, wit

Symboliek

Kamperfoelie is een liaan of slingerplant die niet in staat is haar ranken op eigen kracht omhoog te laten groeien; zij is daarvoor afhankelijk van de steun van andere planten. Dit heeft de plant tot het symbool van de 'verstikkende liefde' gemaakt, een problematische relatievorm waar de een te afhankelijk is van de ander en daarbij het leven van de ander beperkt.

Geneeskunde en keuken

In de kruidengeneeskunde bereidde men vroeger uit de bloembladeren een rustgevende siroop. Een doeltreffend huismiddel met kamperfoelie helpt tegen winterhanden, als men te lang buiten in de kou heeft gewerkt of gewandeld. Door kamperfoelie-olie te verwarmen en daarmee de handen te masseren komt de bloeddoorstroming sneller weer op gang. Ook al zijn de bloembladeren en het nectar van de bloemen ongevaarlijk, de door vogels zeer geliefde bessen zijn voor de mens giftig, met enkele uitzonderingen zoals bijvoorbeeld *Lonicera edulis*, een plant met eetbare bessen die in Tibet zeer geliefd zijn. Kamperfoelie wordt vanwege de heerlijke geur veelvuldig gebruikt in producten zoals parfums en badschuim, maar ook in etherische oliën en als bloemenremedie.

Eigenschappen

Meerjarige plant, bloeit ongeveer van juni t/m oktober, bereikt een hoogte van enkele meters met talloze kleine bloemen die veel door (nacht)vlinders worden bezocht. Kamperfoelie is een snelgroeiende flinke plant die andere planten in een tuin gemakkelijk kan domineren.

Lonicera periclymenum

Lonicera periclymenum

Kerstroos

Helleborus spp.
Ranonkelfamilie (Ranunculaceae)

Helleborus is in vele opzichten een opmerkelijk en ook merkwaardig plantengeslacht. De belangrijkste leden ervan zijn de echte kerstroos (*Helleborus niger*), het stinkend nieskruid (*Helleborus foetidus*) en de wrangwortel (*Helleborus viridis*). Alhoewel de planten zeer giftig zijn, zijn zij met hun elegante uiterlijk en hun bloeitijd in hartje winter geliefde tuinplanten geworden. Terwijl de meeste soorten thuis zijn in Midden- en Zuid-Europa, is er één soort, *Helleborus orientalis*, die in Turkije en noordelijk Griekenland voorkomt. Opmerkelijk is dat al deze bloemen te midden van sneeuw en ijs bloeien en dat ook volledig bevroren bloemen na de dooi niet beschadigd blijken te zijn en gewoon blijven leven.

Merkwaardig is het feit dat *Helleborus niger* witte bloemen draagt; het Latijnse niger betekent immers zwart. Een verklaring hiervoor kan zijn dat de stoffen in al deze planten mensen in grote verwarring en uiteindelijk tot waanzin kunnen brengen. Niet voor niets is de naam *helleborus* gebaseerd op het Griekse *hellein* (doden) en *bora* (voedsel), wat dus 'dodelijk voedsel' betekent.

Kleurenscala
blauw-zwart, gelig-groen, lichtgeel, purper, roze, wit

Symboliek
Aangezien de kerstroos juist rond de jaarwisseling de piek van haar bloeiperiode heeft is het niet verrassend dat de bloem door het christendom geadopteerd zou worden. Eerder, in diverse Griekse mythen, was *Helleborus* verbonden aan de maenaden en andere losbandige vrouwen die naakt en in trance ronddoolden: de gedrogeerde priesteressen van *Dionysos*, de god van wijn en extase.

Deze associaties van de plant werden in het christendom vervangen door twee onschuldige anekdotes rondom de geboorte in de stal van Bethlehem. Het ene verhaal vertelt over een jong meisje dat toevallig aanwezig was en geen geschenk bij zich had voor de pasgeboren messias; daarom barstte zij in tranen uit, haar tranen vielen op de sneeuw en er kwam een prachtige bloem op: de kerstroos.

Een andere legende verhaalt dat de geboorte van Jezus ook in het plantenrijk gevoeld was en dat alle bloemen heel even in bloei kwamen en hun hoofden verhieven. Toen zij alle weer terugvielen in hun winterslaap, bleef de kerstroos als enige wakker omdat zij de tijd was vergeten.

Geneeskunde en keuken

Alle delen van deze planten zijn bij inname giftig. Niet alleen veroorzaken zij maagpijn en braken maar ze verstoren ook het natuurlijke hartritme. Dit maakt al duidelijk dat er geen toepassingen zijn in de keuken, maar de geneeskunde heeft wel in enige mate gebruik gemaakt van de stoffen *helleborine* en *helleborein*. Een geringe, juist gekozen dosering kan als braakmiddel of als hartstimulerend medicijn gebruikt worden. Dit was blijkbaar reeds in het oude Griekenland bekend waar een legende vertelt dat kerstroos vermengd met geitenmelk manische jonge vrouwen juist weer tot normaliteit kon brengen volgens het *similia-principe:* 'genees het gelijke met het gelijke'.

Deze toepassing van *Helleborus orientalis* gaat terug op de ziener en genezer Melampus (circa 1.400 voor Chr.) en het uit de wortels van deze plant gewonnen medicijn werd *melampodium* genoemd. In de hedendaagse homeopathie wordt de verse wortel van *Helleborus foetidus* als remedie gebruikt en soms toegepast bij vrouwelijke onvruchtbaarheid.

Eigenschappen

Meerjarige plant, bloeit in de regel van november t/m februari, bereikt een hoogte van 25 tot 40 cm met bloemen van 5 tot 7 cm doorsnee. Het stinkend nieskruid (*H. foetidus*) wordt echter veel groter en kan wel 80 cm hoog worden. Kerstrozen verspreiden zich met de hulp van slakken. De zaden zijn omgeven door een olie die als voedsel voor de slakken dient. Zo worden de zaden door slakken meegesleept op hun reizen door veld of tuin.

Klaproos

Andere namen: *Donderbloem, Oosterse klaproos*
Duits: *Klatschmohn, Feldmohn, Ackermohn*
Engels: *Corn poppy, Field poppy*

Papaver rhoeas

Papaverfamilie (Papaveraceae)

Het geslacht van de papavers omvat circa honderd soorten verspreid over het noordelijk halfrond, waaronder de elders besproken slaapbol (*Papaver somniferum*, zie blz. 154) en de hier besproken klaproossoorten.
De Nederlandse benamingen veldklaproos of echte klaproos verwijzen alleen naar *Papaver rhoeas*, maar in onze tuinen en het open veld vinden wij ook de oosterse klaproos (*Papaver orientale*) en de tweejarige klaproos (*Papaver nudicaule*). *Rhoeas* is gebaseerd op het Griekse woord *rho* (rood). De kleurstof die de bloemen hun intense rode kleur geeft heet dan ook *rhoeadine*.

Kleurenscala

abrikoos, rood, roze, wit

Symboliek

Er zijn legendes, zowel uit het oude Rome als uit het moderne Frankrijk, die verhalen dat klaprozen op een slagveld verschijnen als de grond doordrenkt is met het bloed van duizenden doden, waarbij men geloofde dat het vergoten bloed er verantwoordelijk voor zou zijn. Ondertussen weet men echter dat de reden voor het verschijnen van de bloemen (en hun kleur) niets te maken heeft met bloed, maar met de duizenden rennende soldaten en de voertuigen die als het ware de grond omspitten en de zaadjes blootleggen die, eenmaal in aanraking gekomen met het licht, kort daarna ontkiemen. Dat de klaproos in de bloementaal de betekenis van troost heeft, is misschien het gevolg van dergelijke legendes.
Een tweede associatie van de klaproos met de dood ligt ten grondslag aan de vroeger gebruikelijke naam donderbloem. Men geloofde vroeger namelijk in tal van Europese landen dat het plukken van deze bloemen de bliksem aantrok en het werd als een bijzonder slecht voorteken gezien wanneer bij het plukken een van de vier bladeren zou afvallen. Dit bijgeloof hield stand tot in het begin van de twintigste eeuw.

De klaproos is het nationale bloemenembleem van Polen.

drie keer *Papaver rhoeas*

Geneeskunde en keuken

De klaproos bevat een aantal alkaloïden die verwant zijn aan de werkzame stoffen in de slaapbol, maar het gevaarlijke, krachtige morfine komt er niet in voor. De Kelten kenden reeds de kalmerende werking van de klaproos. Vroeger bestond de gewoonte het sap van de plant door babyvoedsel te mengen om huilende baby's in slaap te krijgen. Ook in de moderne tijd wordt de klaproos nog gebruikt in medicijnen voor kinderen, onder andere bij kinkhoest of als licht kalmeringsmiddel. In Egypte en Rome werden vooral de zaden gebruikt vanwege hun lekkere smaak en geur. In Frankrijk wint men tegenwoordig nog steeds een speciale consumptie-olie uit klaprooszaad.

Eigenschappen

Eenjarige plant, bloeit ongeveer van mei t/m juni, bereikt een hoogte van 30 cm tot 1 m met fraaie maar tere bloemen. Anders dan bij de slaapbol is de zaaddoos niet rond en bolvormig, maar langwerpig en eivormig.

Klaver

Andere namen: *Drieblad, Schapebloem*
Duits: *Klee, Wiesenklee, Rotklee, Weissklee*
Engels: *Clover, Trefoil, Shamrock* (Iers)

Trifolium spp.
Vlinderbloemenfamilie (Legumiosae)

Zoals de Latijnse naam *trifolium* (driebladig) al aangeeft, hebben alle klavers uit deze grote familie in principe drie bladeren. Heel af en toe zijn het er meer, misschien door een genetische fout. Omdat dit zo zeldzaam is, werd met name het klavertje-vier een gelukssymbool.

Van de circa 300 soorten klavers in deze familie is vooral de rode klaver (*Trifolium pratense*) wijd verspreid over het noordelijk halfrond te vinden, van Californië tot de Middellandse Zee en Noord-Afrika. Iets zeldzamer zijn de witte klaver (*T. repens*) en de kleine klaver (*T. dubium*) die wel dezelfde symboliek hebben maar geen waarde hebben voor de geneeskunde of in de keuken.

Kleurenscala
wit, rood

Symboliek
Aangezien in tal van culturen het getal drie als zeer belangrijk werd beschouwd is de associatie van de driebladige klaver met de christelijke drieëenheid niet verrassend; er zijn immers veel meer religies die dit concept kennen. Binnen het christendom werd de klaver daarnaast ook een symbool voor het aan de gelovigen in het vooruitzicht gestelde nieuwe leven na het *laatste oordeel*, en met die verwijzing naar zowel afscheid als hoop werd klaver vaak op graven geplant. De driebladige klaver, die in Ierland *shamrock* heet, is tot op de dag van vandaag het nationale bloemenembleem van dat land, met dien verstande dat de term *shamrock* ook op andere planten en bloemen met drie blaadjes van toepassing is.

Klavers met meer dan drie blaadjes waren niet alleen een gelukssymbool. Er werden ook allerlei magische kwaliteiten aan toegeschreven. Bij de ingang van een kerk zouden klavertjes-vier kunnen aantonen wie een heks was of niet, en als iemand over het gras liep en per ongeluk op het plantje trapte, dan stond deze ongelukkige alle mogelijke rampspoed en ellende te wachten. In hetzelfde angstige en negatieve verwachtingspatroon past ook het geloof vroeger in Beieren dat een veld vol met witte klavers een voorspelling zou zijn voor de naderende dood van een familielid.

Geneeskunde en keuken
Alle onderstaande informatie heeft alleen betrekking op rode klaver (*Trifolium pratense*). Volgens oude recepten werkt een mengsel

van klaver-, kamille- en malvabloemen uitstekend tegen zwaarmoedigheid als het bloemenaftreksel aan het badwater wordt toegevoegd. Klaver wordt in de volksgeneeskunde voornamelijk gewaardeerd om zijn geurstoffen en er wordt dan ook etherische olie van gemaakt. Hoewel deze plant nog niet volledig onderzocht is op werkzame stoffen, is al gebleken dat de plant een bloedzuiverende werking heeft, en daarnaast dat thee van rode klaver een middel ter stimulering van de lever- en galactiviteit is. In het bijzonder in Oost-Europa wordt de plant gewaardeerd. Daar wordt klaverextract aanbevolen ter genezing van wonden en voor het algemeen herstel na operaties. Zowel de bloemen als de bladeren zijn eetbaar. De bloemen kunnen gegeten worden in salades of als broodbeleg, de jonge bladeren worden verwerkt in soepen of groenteschotels alsmede in sauzen en salades. Daarnaast kan van de bloemen, vermengd met sinaasappelen, gist en suiker, ook een soort wijn gemaakt worden die na zo'n vier weken gisten buitengewoon goed tegen zwaarmoedigheid helpt.

Er bestaat nog een andere medicinaal interessante klaver, de zogenaamde honingklaver (*Melilotus officinalis*). Deze plant heet echter alleen zo in de volksmond en is geen echte klaver (*Trifolium* sp.) maar een lid van de vlinderbloemfamilie.

Eigenschappen
Meerjarige plant, bloeit ongeveer van mei t/m juli, bereikt een hoogte van 15 tot 70 cm met bloemen van 2 tot 3 cm doorsnee.

Klimmende Winde

Andere namen: *Dagbloem*
Duits: *Trichterwinde, Prunkwinde*
Engels: *Morning Glory, Our Lady's Mantle*

Ipomea spp.

Dagbloem- en zoete-aardappel familie (Convulvulaceae)

Hoewel de klimmende winde verrassend genoeg verwant is aan de zoete aardappel (*Ipomea batatas*), is zij een geheel andere plant met geheel andere toepassingen. De Nederlandse namen dagbloem of klimmende winde doen de bloem minder eer aan dan het Engelse *Morning Glory* (ochtendglorie), wat veel beter past bij de prachtige, trechtervormige bloemen die vroeg in de ochtend in alle glorie opengaan en zich vroeg in de middag alweer sluiten. Hun bij zonsopgang nog zachte kleuren verdiepen zich naarmate de tijd verstrijkt. De botanische naam is afgeleid van de Griekse termen *ips* en *homoios*, wat tezamen betekent 'als een worm', een zeer geschikte naam voor de wormachtige, bijna zichtbaar voortkruipende stengels van de plant.

In de tropische en subtropische klimaatzones bestaan circa 400 *Ipomea*-soorten waarvan sommige, bijvoorbeeld *Ipomea acuminata*, grote bloemen dragen en zich metershoog langs boomstammen omhoog slingeren. De meeste soorten *ipomea* zijn afkomstig uit Zuid-Amerika en voorzover bekend arriveerde de eerste plant pas in de zeventiende eeuw in Europa. Enkele soorten hebben zich inmiddels aangepast aan ons klimaat en zijn geliefde sierplanten die elke dag een wisselend aantal nieuwe bloemen dragen. Een plant die precies omgekeerde bloeigewoontes heeft is *Ipomea alba*, in het Engels bekend als 'maanbloem' of 'avondglorie'. Dit is ook een klimmende winde, maar haar witte bloemen ontvouwen zich alleen maar 's nachts en gaan dicht bij zonsopgang.

Kleurenscala

blauw, paars, rood, violet, wit

Symboliek

Er bestaat een 1.500 jaar oude muurschildering in Teotihuacan (Mexico) waar een gestileerde *ipomea*-klimplant is afgebeeld tezamen met een godin en enkele figuren die op priesters lijken; een tastbaar bewijs voor het ceremonieel gebruik van deze planten.

Bij de Azteken heeft deze plant de naam *Tlitlitzen*, hetgeen 'De Goddelijke Zwarte' betekent en – een staaltje van Azteekse ironie – ernaar verwijst dat de plant 'lichtgevend' is, met andere woorden: visioenen oproept.

Geneeskunde en keuken

Een aantal *ipomea*-soorten, maar in het bijzonder *Ipomea violacea*, werd zeer gewaardeerd als hallucinogeen en pijnstiller bij de Azteken en andere volkeren van Midden- en Zuid-Amerika. De klimmende winde werd veel gebruikt bij religieuze rituelen en bij magische ceremoniën die bedoeld waren om iemand van een ziekte te genezen. Afhankelijk van de dosering kunnen de uit *ipomea* gewonnen middelen ook kalmerend zijn en als slaapmiddel worden toegepast, en ook als geneesmiddel voor aambeien. Experimenteer niet zelf. Eigenlijk kennen alleen de Zuid-Amerikaanse sjamanen de geheimen van de bereiding en dosering. De planten bevatten giftige stoffen die een uitwerking hebben die vergelijkbaar is met die van LSD.

Eigenschappen

Eenjarige plant met eendagsbloemen, bloeit ongeveer van juli t/m september, kan een hoogte tot 3 m bereiken met bloemen van 6 tot 12 cm doorsnee. De in de handel verkrijgbare *Ipomea tricolor* en *Ipomea rubro-careulea* zijn geen andere soorten, deze namen zijn synoniemen voor de hierboven beschreven *Ipomea violacea*.

Ipomea tricolor

Ipomea violacea

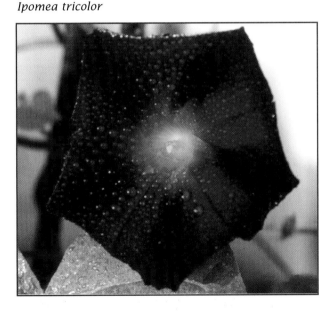

Korenbloem

Centaurea cyanus

Familie der samengesteldbloemigen (Compositae)

Oorspronkelijk is de korenbloem afkomstig uit de landen rondom de Middellandse Zee, maar zij is reeds eeuwenlang ingeburgerd in de rest van Europa en andere landen met een vergelijkbaar klimaat. Het woord *cyanus* in de Latijnse naam geeft aan dat de basiskleur, die ook de meest voorkomende is, cyaanblauw is, dat wil zeggen blauw met een tikje zachtgroen. Behalve dit typische blauw kan de plant soms ook witte of paarse bloemen hebben - niet alleen de gekweekte tuinhybriden maar ook in de vrije natuur. De bloemen groeien, weliswaar minder dan vroeger, langs de rand van korenvelden. Dat heeft tot de namen korenbloem, *cornflower* en *Kornblume* geleid. Tegenwoordig vindt men deze planten echter vaker als sierplant in tuinen dan in het wild, voornamelijk omdat de op hol geslagen naoorlogse agrarische sector de bloemen als onkruid beschouwt en ook zo behandelt.

Kleurenscala
blauw, paars, roze, purper, wit

Symboliek
Het eerste deel van de botanische naam slaat op het Griekse *kentaureion* en werd in het Latijn van de Romeinen tot *centaurea*. Beide woorden doelen op de zogeheten centauren die in veel Europese mythen voorkomen: legendarische wezens, half mens en half paard, die beroemd waren om hun geneeskundige kennis en ervaring. Het gaat hier waarschijnlijk om de eerste stammen uit de steppen, de ontdekkers van het paardrijden, die vanuit het noorden en oosten soms het Griekse territorium binnenvielen, waar paardrijden volstrekt onbekend was. Chiron, een van deze 'paardmannen', werd ooit zwaar gewond door een vergiftigde pijl (zie Monnikskap) maar hij werd gered en genezen door het sap van *Centaurea cyanus*, die op grond daarvan haar naam kreeg.

De genezende krachten van de korenbloem hebben er ook toe geleid dat de plant in sommige streken als bescherming tegen het kwaad werd gezien, dat wil zeggen tegen demonen en duivels, tegen nachtmerries en ongelukken. In de populaire bloementaal symboliseert de korenbloem kieskeurigheid en fijngevoeligheid. Er is echter geen legende bekend die dit verklaart. Andere associaties, zoals trouw en bestendigheid, hebben meer te maken met de kleur blauw in het algemeen dan met deze specifieke bloem.

De korenbloem is het bloemenembleem van Duitsland.

Centaurea cyanus

Geneeskunde en keuken

Het sap van korenbloemen wordt soms nog gebruikt in stoombaden tegen een te droge gezichtshuid. De bloem wordt in de alternatieve geneeskunde ook toegepast als bloesemremedie. De oude Griekse legende van de korenbloem wordt min of meer bevestigd door geneesheren in de Renaissance die de bloem voorschreven bij oogontstekingen, om het bloed te zuiveren en wonden te ontsmetten. De bloemen dienen vandaag de dag voornamelijk als leverancier voor kleurstoffen in voeding en dranken en ze maken ook deel uit van bepaalde shampoos en huidcrèmes.

Eigenschappen

Een- of tweejarige planten, bloeien ongeveer van mei t/m augustus en bereiken een hoogte van 25 cm tot 1 m met bloemkoppen van 2 tot 5 cm doorsnee die uit tal van kleine bloemetjes bestaan. Bijen, hommels en vlinders zijn zeer gesteld op korenbloemnectar.

Lampionbloem

Physalis spp.
Nachtschadefamilie (Solanaceae)

Andere namen: *Chinees Lantaarntje, Ananaskers*
Duits: *Lampionblume, Blasenkirsche, Kapstachelbeeren*
Engels: *Chinese Lantern, Japanese Lantern,*
Winter cherry, Strawberry tomato

De lampionplant, *Physalis alkekengi* en haar diverse verwanten, is niet speciaal bekend of geliefd om haar witte bloemen, maar vooral vanwege haar eerst groene en later oranje tot rode vruchtkelken die veel weg hebben van lampions. In elk van deze 'lampions' zit een bes ter grootte van een kers die in principe eetbaar is. Weinig mensen zullen er echter werkelijk van genieten, aangezien deze vrucht een sterke, soms zure en vaak ook bittere smaak heeft.

De Engelse naam *strawberry tomato* en het Duitse *ananaskers* zijn dan ook nogal misleidend, en het Nederlands-Duitse *jodenkers / Judenkirsche* was duidelijk ooit discriminerend bedoeld. Toch zijn die namen tientallen jaren blijven hangen.

Net als *Physalis peruviana* (iets minder zuur) en aanverwante soorten komt ook de in onze streken vaak gemakkelijk verkrijgbare *Physalis alkekengi* oorspronkelijk uit Zuid-Amerika. De oranje-rode vruchtkelken blijven in gedroogde staat zeer lang goed en hebben zich met hun decoratieve uiterlijk

een vaste plaats veroverd in herfstboeketten of in bloemenarrangementen die volledig uit droogbloemen bestaan.

Kleurenscala
witte bloesems, oranje vrucht

Symboliek
De bloemen spelen geen belangrijke rol in symboliek, heraldiek of mythologie.

Geneeskunde en keuken
Alhoewel de vruchten eetbaar zijn en rijkelijk vitamine C bevatten, zijn in de groene delen van de plant ook licht giftige stoffen aanwezig die tot irritatie van maag en darmen kunnen leiden (braken, diarree) waarbij de hulp van een arts eventueel nodig kan zijn. In homeopathische hoeveelheden kan *Physalis alkekengi* juist hulp bieden bij blaasproblemen, in het bijzonder bij bedplassen. Tegenwoordig wordt er gedetailleerd onderzoek gedaan naar deze plant vanwege het vermoeden

dat de vruchten bestanddelen bevatten die een duidelijke invloed hebben op de menstruatiecyclus en de vruchtbaarheid van vrouwen.

Eigenschappen
Meerjarige plant, bloeit ongeveer van juni t/m augustus, bereikt een hoogte van 50 cm tot 1 m met kleine witte bloemen.

Lelie

Lelium candidum ... et al

Leliefamilie (Liliaceae)

Andere namen: *Levenslelie, Madonna Lelie, Kerklelie, Daglelie*
Duits: *Lilie, Jesus Lilie, Madonnen Lilie, Taglilie*
Engels: *Lily, Madonna Lily, Daylily*

Heel veel bloemen dragen de naam lelie, of worden tenminste in de volksmond lelie genoemd zonder dat ze botanisch gezien ook daadwerkelijk tot het leliegeslacht (*lilium*) behoren. Een voorbeeld hiervan is het gebruik van de naam calla-lelie (in feite een aronskelk of *Zantedeschia*), de Peruviaanse of Inca-lelie (*Alstroemeria* spp.) of de daglelie (*Hemerocallis* spp.).

In de symboliek en de mythologie is het uitsluitend de witte lelie (*Lilium candidum*) die een belangrijke rol speelt, in tegenstelling tot de geneeskunde en keuken waar ook de daglelie een plaats heeft.

Witte lelies werden reeds 3.500 jaar geleden ten tijde van de Minoïsche cultuur op Kreta gecultiveerd en bereikten Europa waarschijnlijk via de zeevarende Feniciërs.

Kleurenscala
wit (*Lilium candidum*)
veel verschillende kleuren:
(*Alstroemeria* spp., *Hemerocallis* spp.)

Lilium candidum

Lilium candidum

Symboliek
In Egypte was de witte lelie gewijd aan de grote godin *Isis*, bij de Grieken stond zij bekend als 'bloem der bloemen' en de Romeinen noemden haar 'roos van *Juno*' (de godin van het huwelijk) en maakten de bloem tot een van de twee belangrijke attributen bij een trouwfeest. De bloem vertegenwoordigde reinheid terwijl de aanwezigheid van tarwe voor vruchtbaarheid stond.

In tegenstelling tot deze Romeinse interpretatie was de lelie in China, India en Japan juist een symbool van vruchtbaarheid waarbij de bloemkelk het vrouwelijke en de stamper het mannelijke vertegenwoordigt – botanisch beschouwd weliswaar onjuist, maar zo geïnterpreteerd op basis van de vormen.

In het christendom heeft de lelie een bijzondere plaats gekregen door het feit dat het onmogelijk is haar geur in een essentiële olie te vangen. Een vrome frater kwam ooit op het idee dat dat een teken was van bijzondere zuiverheid en dat zou haar tot een geschikt symbool voor de onbevlekte Madonna maken, vandaar de naam madonnalelie. In Zwitserland en Engeland werden vers afgesneden lelies boven de deur gehangen vanwege hun vermeende vermogen om negatieve invloeden te weren. Elders werd uit lelie en leeuwenbek een brouwsel bereid dat de huid eeuwig jong moest houden. Tegenwoordig is de witte lelie voornamelijk bekend als rouwbloem. Aan een levende persoon geschonken betekent zij iets als 'ik kus uw hand'.

De witte lelie komt vaak voor op afbeeldingen van Tarotkaart nummer 1, *De Magiër*. Dit herinnert niet alleen aan de legende van Goethe's Faust en de levenslelies van de tovenaars van Frankfurt, maar het is ook een symbool voor de ultieme taak van de magiër: balanceren tussen licht en duisternis, mannelijk en vrouwelijk, hemelse en aardse krachten. De lelie wordt ook hier gezien als een bloem die zowel het vrouwelijke als het mannelijke symboliseert, en dit wordt nog eens benadrukt door de zes bladeren van de bloem die in volle bloei een zespuntige ster vormen: het hexagram dat op zichzelf al deze betekenis heeft.

Geneeskunde en keuken

Zowel in het oude Griekenland als in de middeleeuwse geneeskunde van Hildegard von Bingen waren witte lelies bekend om hun gunstige invloed op de genezing van wonden. Tot in de negentiende eeuw werden de bladeren van de kelk als wondverband gebruikt bij brandwonden en werd er olie van gemaakt tegen oorpijn en huidaandoeningen.

De witte lelie kan ook op diverse manieren in de keuken worden toegepast. Er zijn recepten waarbij de bloem zelf niet genuttigd wordt maar slechts een bijzonder aroma verleent aan honing of azijn, maar er is ook een recept om nog dichte lelieknoppen te frituren en met suiker en meel tot een zoete tempura te verwerken. Sommige daglelies, *Hemerocallis graminea* bijvoorbeeld, zijn ook eet-

Prachtlelie
Gloriosa superba

Incalelie
Alstroemeria ligtu hybride

Incalelie
Alstroemeria ligtu hybride

Spinlelie
Hymenocallis sp.

baar en worden in China en Japan ingelegd in zout of samen met andere groenten gekookt.

De Chinese taal kent zowel de naam *Gouden Groente* als ook *Plant der Vergetelheid* voor de daglelie, waarbij dit laatste betrekking heeft op de licht giftige bladeren van de plant die een bedwelmende werking hebben en ook medicinaal worden toegepast.

Eigenschappen

Bolgewas, bloeit ongeveer van juni t/m september, bereikt een hoogte van 1 m tot 1,50 m met trechtervormige bloemen van circa 7 of 8 cm doorsnee. Witte lelies hebben een sterke geur waar niet iedereen tegen kan. Sommige mensen krijgen er hoofdpijn van of worden zelfs misselijk. Daarom is het geen goed idee om deze bloemen aan een onbekende te schenken. De naam daglelie verwijst naar het feit dat zij een eendagsbloem is. De Incalelie is zeer gevoelig; zij verdraagt geen geuren van fruit, groente, tabak of benzine.

Hemerocallis
'Barbara Mitchell'

Hemerocallis
'Corelli'

Hemerocallis
'Mauna Loa'

Hemerocallis
'Siloam Olin Frazier'

Lotus

Nelumbo nucifera
Lotusfamilie (Nelumbonaceae)

Andere namen: *Rode Lotus, Indische Lotus, Perzische Lotus, Heilige Lotus*
Duits: *Lotus, Indischer Lotus*
Engels: *Lotus, Indian Lotus, Oriental Lotus, Sacred Lotus*

Er bestaat veel verwarring omtrent de lotusbloem. De lotus (*nelumbo*) werd lange tijd beschouwd als behorend tot de waterleliefamilie (*nymphaeaceae*), en dus kregen sommige waterlelies de naam lotus. Zo komt het dat bijvoorbeeld ook de in Egypte voorkomende blauwe en witte waterlelies (zie blz. 172) vaak *lotus* genoemd worden. De hedendaagse wetenschap kent twee soorten echte lotus, de hier getoonde Aziatische lotus met zijn van rozerood naar wit verlopende kleur (*Nelumbo nucifera*) en de witgele Amerikaanse lotus (*Nelumbo luteum*). Daarnaast bestaan er enkele gecultiveerde soorten die in kleur uiteenlopen van wit tot donkerrood.

Kleur
roze

Symboliek
In de oudste stromingen van volksgeloof en religie in India is de lotus onlosmakelijk verbonden met de godin en haar vruchtbare schoot. In het Sanskriet, de oude en heilige taal van India, is de naam *padma* (lotus) zelfs een vaak gebruikt synoniem voor de *yoni* (vrouwelijke geslachtsdelen).

Binnen andere tradities van het hindoeïsme wordt de lotus beschouwd als een plant die op magische wijze uit de navel van de slapende god *Vishnu* groeide. Toen de bloem zich voor het eerst opende, zat in haar midden (waar de zaden zich bevinden) de god *Brahma*, de schepper binnen de Indiase drieëenheid. Tijdens zijn schepping gebruikte hij delen van de lotus voor zijn creatie; daarom wordt elke mens gezien als drager van de geest van de lotus. Het is dus ook niet verrassend dat de zogeheten *chakra's*, fijnstoffelijke centra in het menselijk lichaam, symbolisch worden weergegeven als lotussen, elk met een eigen kleur en een specifiek aantal bladeren. De bovenste chakra, een symbool voor het hoogste niveau van bewustzijn, wordt afgebeeld als de duizend-bladeren-lotus.

Ook in vrijwel alle stromingen van het boeddhisme in India, Tibet, Japan, China en Zuidoost-Azië komt de lotus veelvuldig als symbool en metafoor voor. De opvallend mooie en kortstondig levende bloem met haar zuiver en opgeheven hoofd heeft immers haar wortels in modder en troebele wateren – een symboliek die de Boeddha en zijn volgelingen uitermate aansprak. De lotussymboliek van de zeven chakra's is ook in het boeddhisme te vinden.

Lotus

Lotusvijver en -bloemen in Ubud, Bali

De bladeren van de bloem komen veelvuldig voor in tempelarchitectuur en religieuze kunst en een belangrijke heilige tekst draagt de naam *Lotus Soetra*. Daarnaast worden de twee belangrijkste boeddhistische leraren, Boeddha en Padmasambhava, vaak afgebeeld als zijnde geboren uit een lotusbloem.

In Egypte deed de Aziatische of heilige lotus (*Nelumbo nucifera*) zijn intrede pas rondom 500 voor Christus, via Perzië. Zij heette daar de heilige lotus van de Nijl. Net als in India werden ook in Egypte een aantal godheden met deze bloem geassocieerd, bijvoorbeeld de godin *Sekhmet* en de goden *Harpocrates* en *Osiris*. In al deze culturen is de lotus tot een symbool geworden van zuivering, regeneratie en ontstijging; de transformatie van laag (materie, slijk, modder) naar hoog (energie, bewustzijn, licht en schoonheid).
De lotus is het nationale bloemenembleem van zowel India als Egypte.

Geneeskunde en keuken
De oude Egyptenaren ontdekten dat ze uit de zaden, fijngemalen en vermengd met melk, een eetbaar soort brood konden bereiden. Aangezien deze zaden ook bekend staan als een middel tegen darmziekten, was dit 'brood' tegelijkertijd een goed medicijn.
Ook in Azië worden bepaalde onderdelen van de plant gegeten en tegenwoordig zijn lotuswortels in blik ook bij ons in Chinese winkels verkrijgbaar. De gestoofde jonge spruiten smaken naar artisjokken en het binnenste van de zaden lijkt qua smaak op tamme kastanje. Het eten van de zaden was ook in zwang bij de in Amerika inheemse Indianen.

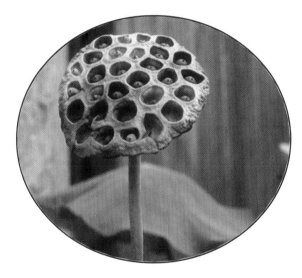

Eigenschappen
Meerjarige waterplant, groeit in tropisch Azië, Oceanië en Australië en wordt tussen de 1 en 2,5 m hoog met bloemen van circa 30 cm doorsnee. De bloemen leven slechts 3 of 4 dagen waarbij de kleur van dag tot dag steeds lichter wordt. Na de bloei blijft een droog zaadhoofd over met 15 à 20 openingen die elk een zaad bevatten.

Maagdenpalm

Vinca major, Vinca minor

Oleander- en maagdenpalmfamilie (Apocynaceae)

Andere namen: *Maagdenkruid, Immergroen, Heksenviolet*
Duits: *Immergrün, Singrün*
Engels: *Periwinkle, Creeping myrtle*

Er bestaan circa tien soorten maagdenpalm. De kleine maagdenpalm (*Vinca minor*) is inheems in Noord- en Midden-Europa, de grote (*Vinca major*) in het Middellandse-Zeegebied van Frankrijk tot Noord-Afrika. Beide planten bloeien tegenwoordig ook in onze contreien. In de legenden en gebruiken rond de maagdenpalm wordt vrijwel geen verschil gemaakt tussen beide soorten.

Kleurenscala
bleekblauw en lichtpaars; soms rood of wit

Symboliek
In oude teksten vindt men maagdenpalm soms onder de naam *Vinca pervinca*. Deze Latijnse naam is verbasterd tot het Engelse *periwinkle*. De plant was met taboes omgeven en mocht alleen op bepaalde dagen worden geplukt, afhankelijk van de schijngestalte van de maan. Men geloofde dat een drank van maagdenpalm de vloek van een heks kon opheffen en dat wie maagdenpalmbloemen op zak had op voorspoed en welvaart kon rekenen. De plant werd ook geacht aan te kunnen geven of iemand een heks was en werd daarom ook heksenviolet of heksenviooltje genoemd, of in Frankrijk en Engeland tovenaarsviooltje. In sommige streken van Europa, voor-

al in Frankrijk, gebruikte men de bloemen op nieuwjaarsdag of Driekoningen om voorspellingen te doen over de gezondheid of de aankomende dood van de aanwezigen. In andere gebieden voorspelde maagdenpalm of iemand verliefd zou worden en gaan trouwen. Dit wordt weerspiegeld in de bloementaal, waarin maagdenpalm voor vriendschap en liefde staat.

Geneeskunde en keuken
Eeuwen geleden werd maagdenpalm, zowel de grote als de kleine soort, vanwege haar wondhelende eigenschappen in vele kloostertuinen gekweekt. Naarmate de ervaring met het gebruik toenam, gaven geneesheren en kruidendokters de voorkeur aan de kleine of gewone maagdenpalm (Vinca minor). Van difterie tot nachtmerries, van huidaandoeningen tot diabetes en van slangenbeten tot neusbloedingen, de stoffen in de bladeren van deze plant leverden er allerlei bruikbare geneesmiddelen voor.

Tegenwoordig heeft de maagdenpalm vooral in de homeopathie nog betekenis. In de keuken speelt de maagdenpalm geen rol. Men heeft de plant op kleine schaal gebruikt bij het brouwen van bier. In Rusland werd er een tijdlang papier van gemaakt en elders werden de sterke vezels tot touw verwerkt, een toepassing die al in het oude Rome bekend was.

Attentie! Er bestaat nog een heel andere plant die ten onrechte ook maagdenpalm heet. Ondanks dat dit geen *vinca*-soort is wordt deze plant toch Madagascar-maagdenpalm of roze maagdenpalm genoemd. Deze plant, *Catharantus roseus*, levert weliswaar waardevolle stoffen voor de behandeling van leukemie en andere ziekten, maar is ook uiterst giftig. Inname of roken ervan – zo is uit experimenteel gebruik gebleken – tast de witte bloedlichaampjes aan (wat de gebruiker vatbaar maakt voor veel ziekten) en veroorzaakt haaruitval en het gevoel innerlijk op te branden. Vergeet het maar!

Eigenschappen
Meerjarige planten. *Vinca major* bloeit ongeveer van maart t/m juni en bereikt een hoogte tot 60 cm.
Vinca minor bloeit vrijwel het gehele jaar, vandaar ook de naam immergroen, met de periode van april tot september als topseizoen, en wordt 10 tot 40 cm groot.

Vinca minor

Vinca major

Vinca minor

Madelief

Bellis perennis

Familie der samengesteldbloemigen (Compositae)

Andere namen: *Ganzebloem, Grasbloem, Liefdesbloempje, Meizoentje, Paasbloem*
Duits: *Gänseblümchen, Tausendschön*
Engels: *Daisy, Mary-Loves, Oxe-eye daisy*

De Nederlandse naam van deze bloem betekent misschien 'weidebloem' of 'kleine bloem', of hij is gebaseerd op 'maagd' of 'madonna' – taalkundigen zijn het hierover niet met elkaar eens. Het feit dat zowel madelief als margriet in het Engels *daisy* heten en bij ons beide ook ganzebloem genoemd worden geeft ook aan dat de meeste mensen, op de echte kenners na, niet of nauwelijks verschil zien. Het madeliefje is in Europa en Klein-Azië inheems en is een van de meest voorkomende wilde bloemen in zowel weiden als bossen. Hoewel zij voornamelijk als wilde plant voorkomt, bestaan er intussen natuurlijk ook cultivars die als snijbloemen in de handel zijn.

Kleurenscala

karmijn- en scharlakenrood, roze, wit

Symboliek

Volgens volksverhalen uit de vroeg-christelijke tijd zouden de madeliefjes zijn ontsprongen aan de tranen van de maagd Maria tijdens haar vlucht naar Egypte. De witte kleur en de associatie met Maria koppelen de voor de hand liggende symboliek van onschuld en reinheid aan deze bloemen. In de Middeleeuwen geloofde men dat madeliefjes die op 24 juni tussen 12 en 1 uur 's middags werden geplukt een bijzondere magische kracht hadden, een kracht die in verband stond met de heilige Sint Jan.

Lang voor de komst van het christendom was de bloem natuurlijk ook al opgevallen. Bij de Germanen was zij gewijd aan de godinnen *Ostara* en *Freya* en daarom geassocieerd met liefde, lente en vruchtbaarheid. Het madeliefje werd net als de margriet (zie blz. 122) ook gebruikt voor het aftellen en afplukken van de bloembladeren, waar de bloemen waarschijnlijk de naam 'liefdesbloempje' aan te danken hebben. De naam paasbloem is niet puur christelijk, al lijkt dat misschien zo. Voor het christendom bestond er ook al een lentefeest met de naam *ostarmanoth*, een term die weer naar de lentegodin *Ostara* verwijst en waar ook de Duitse en Engelse naam voor Pasen uit voortgekomen zijn: *Ostern* en *Easter*. Tijdens dit feest namen de madeliefjes een belangrijke plaats in als versiering van de Ostarabeker, in feite de voor-christelijke voorloper van de heilige graal, die toen nog gewijd was aan de godin.

Geneeskunde en keuken

Vrijwel alle delen van deze bloemen zijn eetbaar en kunnen in diverse maaltijden verwerkt worden. Zowel de bloemblaadjes als de bladeren smaken goed in gemengde salades en de bladeren kunnen gebruikt worden als ingrediënt voor soepen, kruidenboter, omeletten of groenteschotels.

Eigenschappen

Tweejarige plant, bloeit ongeveer van maart t/m juni, bereikt een hoogte van 15 tot 20 cm met bloemen van 2 à 3 cm doorsnee. 's Avonds, en bij regen ook overdag, sluiten de bloemen zich en buigen het hoofd naar beneden.

Bellis perennis

Bellis perennis

Magnolia

Magnolia spp.

Magnoliafamilie (Magnoliaceae)

In de botanische wetenschap behoren magnolia's tot de kleine groep bloemplanten die zich als eerste begonnen te vermeerderen met behulp van insecten, een nu wijd verbreide, veelvoorkomende manier van bestuiving. Dit geeft al aan dat magnolia's een lange evolutie hebben doorgemaakt, een ontwikkeling die plaatsvond in Noord- en Midden-Amerika en in Azië.

De planten zijn dus niet inheems in Europa. De eerste Amerikaanse plant bereikte ons continent pas in de zeventiende eeuw; de eerste Chinese pas in 1780.

Tegenwoordig is de magnolia wel aangepast aan ons klimaat en groeit zij ook hier volop, althans een aantal van de wereldwijd bestaande 350 soorten en hybriden.

Kleurenscala

geel, roze, donkerroze, wit

Symboliek

De bloemen lijken qua vorm een beetje op tulpen, en bevers waren vaak te vinden in deze boom, klimmend in de sterke takken; dus werden de tot dan toe onbekende struiken in de volksmond tulpenboom of beverboom genoemd.

Heel anders was het in China, waar de plant reeds eeuwenlang hoog in aanzien stond. Alle magnolia's in het land werden als exclusief eigendom van de keizer beschouwd en alleen hij bepaalde of een van de struiken, bij wijze van grote keizerlijke gunst, een nieuwe eigenaar kreeg. Net als de pioen heeft de magnolia in China de betekenis van vrouwelijke schoonheid en zij werd dientengevolge ook een erotisch symbool. De volksnaam van de bloem is namelijk *yehe hua*, 'bloem van het nachtelijk samenzijn'. De officiële Chinese naam, *mu-lan*, heeft een geheel andere betekenis en vindt zijn oorsprong in het verhaal van een jonge vrouw met de naam Mu-lan (omstreeks de vierde eeuw). Zij redde de eer van haar vader, die geen zoons had, door zelf als man vermomd in het leger dienst te nemen. Jarenlang ontdekte niemand haar ware identiteit en zij maakte een exceptionele carrière. Twee Amerikaanse staten hebben de magnolia gekozen als hun bloemenembleem: Louisiana en Mississippi.

Geneeskunde en keuken
In China werden preparaten uit knoppen, vruchten en takken gebruikt om bloedarmoede te verhelpen en *Magnolia officinalis* (Chinees *hou-po*) wordt ook tegenwoordig nog verbouwd en wereldwijd geëxporteerd vanwege de versterkende middelen die uit de schors vervaardigd worden.

Eigenschappen
Meerjarige plant, bloeit ongeveer van april t/m juni en kan een hoogte tussen de 5 en 15 m bereiken. Wanneer de mooie, sterke bloemen eenmaal bestoven zijn, worden zij zienderogen bruiner en verwelken binnen enkele uren.

Magnolia 'Peppermint Stick'

Ster-magnolia - *Magnolia stellata*

Margriet

Chrysanthemum leucanthemum
Familie der samengesteldbloemigen (Compositae)

Andere namen: *Grote ganzebloem, grote madelief*
Duits: *Margerite*
Engels: *Marguerite, Daisy*

De Latijnse naam zegt het al: de bloem die wij *margriet* noemen is botanisch gezien een chrysant (zie blz. 40). Om de zaak nog verder te compliceren staat de margriet ook nog eens bekend als 'grote madelief' (zie blz. 118). Ondanks deze spraakverwarring heeft de onopvallende margriet, die overal groeit langs wegen en dijken, toch een eigen, weliswaar bescheiden traditie. Hoewel er tegenwoordig veel chrysantachtige margrieten of margrietachtige chrysanten bestaan is de oervorm gemakkelijk te herkennen aan haar witte bloemenkraag in de vorm van een stralenkrans met in het midden een heldergeel hartje.

Onder de bloemen die bekend staan als *Spaanse margriet* (*Dimorphoteca* spp.) is er één met vrijwel dezelfde kenmerken, waarbij het hart echter niet geel is maar blauw tot diep paars. Bijzonder mooi is ook een andere soort *Spaanse margriet* (*Osteospermum* spp.) waarvan de merkwaardige, mooie krans van bloembladeren in vorm en kleur doen denken aan glas-in-loodramen in kathedralen of aan oosterse mandala's.

Verder bestaan er nog bloemen met de naam Afrikaanse margriet, in de handel beter bekend als *gazania*, gebaseerd op de botanische

Chrysanthemum leucanthemum

namen *Gazania rigens* en *Gazania splendens*, twee soorten die de basis vormen van de moderne cultuurvariëteiten. Dit zijn tamelijk grote bloemen met een kleur die meer doet denken aan zonnebloemen.

Kleurenscala
geel, goud, oranje, roze, wit

Symboliek
Het Engelse *daisy* komt oorspronkelijk van *Day's Eye*, het oog van de dag, en heeft betrekking op het feit dat de bloemen bij zonsopgang hun ogen openen en bij zonsondergang weer sluiten. Vanwege deze regelmaat is de margriet een symbool van de tijd geworden, maar ook van zorgeloosheid. Ook deze laatste betekenis is afkomstig uit een tijd waar men voldoende vertrouwd was met het gedrag van bloemen om te beseffen dat margrieten zich alleen openen bij een onbewolkte hemel. Zowel *Daisy*, in Engelstalige landen, als *Margriet*, in diverse talen, zijn bekende meisjesnamen die aan deze bloemen zijn ontleend. Zij hebben de intentie een nieuwgeboren kind van een wolkenvrij, zorgeloos leven te verzekeren.

Een oud gebruik rondom de margriet is vereeuwigd in Goethes Faust. Daarin gebruikt een jonge vrouw met de toepasselijke naam Margriet een zogenaamde sterrenbloem als een soort orakel. Steeds een nieuw bloemblaadje afscheurend stelt zij afwisselend 'Hij houdt van mij' of 'Hij houdt niet van mij'. De zin die gesproken wordt bij het laatst overblijvende blaadje werd als het meest waarschijnlijke antwoord gezien. Goethes sterrenbloem was in feite de margriet. Deze simpele manier van waarzeggerij was in geheel Eu-

Spaanse margriet - *Dimorphoteca* hybride

ropa bekend, van Denemarken tot Italië, en ook op andere vragen werd op deze manier naar een antwoord gezocht. Ook nu nog spelen kinderen dit spel, maar de klassieke margriet wordt daarbij vaak vervangen door madeliefjes of margrietachtige chrysanten.

Geneeskunde en keuken
Er zijn geen belangrijke toepassingen van deze bloemen te vermelden.

Eigenschappen
Meestal meerjarige planten en enkele eenjarigen, die bloeien van circa mei t/m september (afhankelijk van de soort) en een hoogte bereiken van 30 tot 60 cm met bloemen van 3 tot 6 cm doorsnee.

Chrysanthemum leucanthemum

Spaanse margriet - *Osteospermum* hybriden

Monnikskap

Aconitum spp.

Ranonkelfamilie (Ranunculaceae)

Deze aantrekkelijke plant met haar bijzondere bloemen siert veel tuinen maar komt, als inheemse plant, ook in het wild voor. Hoe mooi de plant ook is met haar trossen vol paarse of gele bloemen, zij is uiterst gevaarlijk: alle delen van de plant bevatten het krachtige zenuwgif *aconitum*, waarvan zelfs een geringe hoeveelheid bij inname, aanraking van slijmvliezen of contact met het bloed dodelijk kan zijn. Zowel de blauwe (*Aconitum napellus*) als de gele (*Aconitum vulparia*) monnikskap zijn inheems in de gematigde klimaatzones van het noordelijk halfrond, waar van Europa tot aan China circa 100 verschillende soorten van het geslacht *Aconitum* zijn aangetroffen.

Ondertussen bestaan er ook tal van gekweekte hybriden, bijvoorbeeld de witte *Aconitum napellus* 'Album', maar ook deze soorten zijn net zo gevaarlijk als de wilde planten.

Kleurenscala

blauw, paars, geel, wit

Symboliek

Volgens een Germaanse mythe is de monnikskap ontstaan uit het bloed van de vraatzuchtige, mythische *Fenris*-wolf die gedood werd door de god *Widar*, een zoon van de grote god *Thor* of *Donar*. Widar stak zijn zwaard dwars door mond en keel van de wolf en raakte de wolf midden in het hart. De in het rond spattende druppels bloed deden voor het eerst de *Thorhoed* (Germaanse naam van de plant) ontluiken.

Ook in Griekenland was de dodelijke plant bekend en ook daar werd zij in verband gebracht met een mythisch dier, namelijk *Cerberus*, de hellehond van de onderwereld. Volgens deze mythe ontsprong monnikskap aan het speeksel van dit woeste dier toen hij voor het eerst het daglicht aanschouwde en kwaad begon te blaffen. In andere Griekse mythen wordt monnikskap in verband gebracht met *Hecate*, godin van de hekserij en magie, en met de gevreesde tovenares *Medea*. Deze associatie met toverkunsten en hekserij heeft er waarschijnlijk ook toe geleid dat middeleeuwse heksen met de plant gingen experimenteren en ontdekten dat het voorzichtig kauwen van een kleine hoeveelheid bladeren niet tot de dood maar tot hallucinaties leidde.

Geneeskunde en keuken
De giftige werking van de plant was al vroeg bekend en het sap ervan werd door jagers en krijgers gebruikt om hun pijlen tot extra dodelijke wapens te maken.

Daarnaast gebruikte men monnikskap vroeger ook om er vossen en wolven mee te vergiftigen. Een stuk vlees werd in het sap gedompeld en als lokaas voor de dieren neergelegd. De botanische naam *Aconitum vulparia* is afkomstig van de Latijnse naam voor vos, *vulpes*, maar de diverse volksnamen maken duidelijk dat ook wolven met behulp van de plant gedood werden.

Maar ook op mensen werd het gif van monnikskap toegepast. In Griekenland en het Romeinse rijk voltrok men er de doodstraf mee bij veroordeelde misdadigers, en in Nepal werd het gebruikt om de bronnen van een vijandelijk leger te vergiftigen. Ook zijn er tal van individuele moorden gepleegd met dit gif, zowel in het oude Italië als in het Engeland van de negentiende eeuw. Met lage doses

en sterke verdunningen heeft men elders gepoogd van de dodelijke werkzame stof *aconitum* medicijnen te maken. Dergelijke middelen werden vroeger toegepast bij hoge bloeddruk, hartkwalen en zenuwkoorts. Tegenwoordig weet men dat een veilige dosis niet werkt en een wel werkende dosis te giftig is. Het middel wordt dan ook alleen uitwendig toegepast, bijvoorbeeld tegen reuma. *Aconitum* is verkrijgbaar als homeopathisch middel, maar zelfs dan is uiterste voorzichtigheid geboden bij het gebruik.

Eigenschappen
Meerjarige planten, bloeien – afhankelijk van de soort – vanaf juni (*Aconitum napellus*) tot in oktober (*A. carmichaelii*) en bereiken een hoogte tussen de 90 cm en 1,50 m met dichte bloemtrossen.
De vorm van de bloemen zorgt dat alleen hommels bij de nectar kunnen komen. Werkt men in de tuin met deze plant, dan zijn handschoenen absoluut noodzakelijk.

Narcis

Narcissus spp.
Narcissenfamilie (Amaryllidaceae)

Tegenwoordig kennen wij narcissen als de in maart en april verschijnende verkondigers van de lente en wij staan er nauwelijks bij stil dat dit geslacht van circa 40 soorten bloemen hier eigenlijk niet vandaan komt. Narcissen zijn inheems in Zuid-Europa en Turkije en werden waarschijnlijk reeds door het Romeinse leger meegebracht bij hun veroveringstochten. Sommige soorten hebben zich aan het koelere klimaat aangepast, andere zijn opgekweekt tot nieuwe hybriden voor onze tuinen en plantsoenen. Indien niet anders vermeld heeft onderstaande informatie op de eerste plaats betrekking op de witte narcis (*Narcissus poeticus*).

Kleurenscala
blauw, geel, wit

Symboliek
Volgens een Griekse mythe is de narcis een manifestatie van *Narcissus*, een knappe jongeman wiens naam ook de oorsprong vormt van de begrippen 'narcistisch' en 'narcisme'. Narcissus had gehoord dat de nimf *Echo* hevig verliefd was op hem en hoe knap zij hem vond. Hij voelde niets voor haar, maar hij werd wel erg benieuwd naar zijn eigen uiterlijk. Hij liep naar een meer en boog zich voorover om zijn eigen gelaat te kunnen aanschouwen. Ondertussen werd Echo verteerd door een gebroken hart, en de goden of het lot straften Narcissus; hij viel in het meer en verdween. Op de plaats waar hij geknield had verscheen de eerste narcis. Door deze mythe heeft de bloem de betekenis van onbeantwoorde liefde gekregen en natuurlijk is zij ook een symbool geworden voor verwaandheid en arrogantie.

Het verhaal maakte grote indruk op sommige mensen en in Engeland werd in de victoriaanse tijd nog steeds gedacht dat de bloem een gevaarlijke uitstraling had en dat voorzichtigheid geboden was omdat er anders ongelukken konden gebeuren. Schrijvers en dichters hebben de narcis zo vaak bezongen dat met name de witte bloem ook wel *dichtersnarcis* genoemd wordt: een letterlijke vertaling van de botanische naam *Narcissus poeticus*.

In China, waar het nieuwe jaar in februari begint, terwijl de narcissen al bloeien, wordt de bloem als een teken van voorspoed gezien. Ook in de Chinese mythologie is de bloem verbonden met een nimf. In tegenstelling tot de Griekse Echo is de Chinese nimf echter onsterfelijk en de bloem heeft deze associatie met onsterfelijkheid meegekregen. In Turkije, waar een heerlijk geurende narcis voorkomt (*Narcissus jonquilla*), wordt de bloem als een symbool van hartstocht en verlangen beschouwd. De narcis is het bloemenembleem van Wales, dat nu een deel van Groot-Brittannië is maar vroeger een zelfstandige natie was.

Geneeskunde en keuken

De bollen zijn giftig voor mens en dier, en ook het sap van de bloemen bevat stoffen die tot huidirritatie kunnen leiden. Het is echter ook bekend dat de Romeinen het sap gebruikten om brandwonden of andere verontreinigde wonden schoon te maken. In de negentiende eeuw werden de bloembladeren in medicijnen verwerkt

aangezien er in narcis kalmerende en krampverlichtende stoffen leken voor te komen. Tegenwoordig vinden bepaalde soorten vooral aftrek in de parfumindustrie.

Eigenschappen

Bol- en knolgewas, bloeit ongeveer van maart t/m mei, bereikt een hoogte van 40 tot 60 cm met trompetvormige bloemen die zo'n 8 cm lang kunnen zijn. Als snijbloemen zijn narcissen niet samen met andere bloemen te combineren omdat hun sap een stof bevat dat andere bloemen snel doet verwelken.

Narcissus sp.

Orchidee

Orchis spp.
Orchideeënfamilie (Orchidaceae)

Het boven genoemde geslacht *orchis* is slechts een van de vele orchideeëngeslachten maar het heeft wel zijn naam gegeven aan de zeer grote familie van de *orchidaceae* die uit meer dan 20.000 soorten bestaat, onderverdeeld in meer dan 750 geslachten. Het geslacht *orchis* is inheems in Europa en het Nabije Oosten en werd door de Grieken zo genoemd – *orchis* betekent teelbal – vanwege het tweetal knollen dat elke plant heeft. Dit geslacht is een voorbeeld van in de grond groeiende orchideeën (de zogeheten aardorchideeën), maar de meeste andere geslachten en soorten groeien eerder in de lucht (*epifytische* orchideeën), dat wil zeggen aan bomen. Orchideeën groeien vrijwel overal ter wereld, behalve in de woestijnen en poolgebieden. De bekendste en meest spectaculaire soorten zijn afkomstig uit Azië, Oceanië en uit Midden- en Zuid-Amerika:

geslacht	herkomst
Aerides spp.	tropisch Azië
Brassia spp.	Brazilië, Peru
Cattleya spp.	Brazilië, Mexico
Dendrobium spp.	India, Birma, Filippijnen, Japan, China, Australië
Epidendrum spp.	Mexico en elders in Midden- en Zuid-Amerika
Oncidium spp.	Brazilië, Mexico, Midden-Amerikaanse eilanden
Orchis spp.	Engeland, Griekenland, Rusland, Turkije, Iran
Paphiopedilum spp.	Thailand, Maleisië en andere Aziatische landen
Phalaenopsis spp.	Indonesië, Filippijnen
Vanda spp.	Thailand, Maleisië, Filippijnen
Vuylstekeara-hybriden	n.v.t.; moderne kruisingen
Wilsonara-hybriden	n.v.t.; moderne kruisingen

Orchideeën zijn tegenwoordig waarschijnlijk de meest geliefde kamerplanten. De kweek en export ervan heeft wereldwijd economische betekenis, waarbij enkele landen in het bijzonder – Australië, Duitsland, Engeland, Nederland, Singapore, Thailand en de Verenigde Staten (Hawaï) – een grote rol spelen.

Kleurenscala
vrijwel alle kleuren

Symboliek
Ook in China is de orchidee van oudsher een geliefde plant. Haar symboliek, gebaseerd op geur en seksualiteit, heeft tot uitdrukkingen geleid zoals *orchideeënkamer* en *gouden-orchideeverbond*. De eerste uitdrukking verwijst naar de geur van de kamer van een pasgetrouwd stel, de tweede wil zeggen dat twee personen van hetzelfde geslacht intiem bevriend zijn, al dan niet seksueel. Interessant is ook dat de Chinese naam *lan* zowel orchidee als iris betekent. Hoe-

wel deze twee bloemensoorten niet aan elkaar verwant zijn, heeft het Chinese oog hun uiterlijke overeenkomsten duidelijk waargenomen (zie blz. 84). Ook buiten China wordt de orchideeënvorm vrijwel altijd erotisch of seksueel geïnterpreteerd. Niet alleen het Griekse *orchis* (teelbal) maar ook het Latijnse *vagina* (schede), waar zowel 'vanille' (zie hierna) als 'vagina' uit zijn afgeleid, is hier een voorbeeld van.

Geneeskunde en keuken
Een van de bekendste orchideeën is de leverancier van de bekende specerij vanille. Daar heeft zij dan ook haar naam aan te danken: vanille-orchidee (*Vanilla planifolia*). De Azteken voegden vanille toe aan melk en waren ervan overtuigd dat zij daar extra kracht door kregen. Uit een andere groep orchideeën wordt een minder bekende voedingsstof gewonnen, het zogeheten *salep*, een eetbare gelei die uit de bollen van *Orchis latifolia* en *Orchis mascula* bereid wordt en ook geneeskrachtige vermogens heeft. Salep wordt voornamelijk in Turkije en Iran gegeten, maar elders wordt het als geneesmiddel toegepast bij maag- en darmproblemen en ook als middel om open wonden af te dekken en de genezing te bevorderen.

Eigenschappen
Veel orchideeën hebben geen specifiek bloeiseizoen, ze bloeien in principe het hele jaar door. Verder zijn de bloemen onderling te zeer verschillend in grootte en bloeitijd om ze hier te kunnen beschrijven.

Paradijsvogelbloem

Strelitzia spp.

Paradijsvogelbloemfamilie (Strelitziaceae)

Een bijzonder opzienbarende bloem die haar populaire naam gekregen heeft doordat ze enigszins op een vliegende paradijsvogel lijkt, een van de kleurrijkste, fraaiste vogels ter wereld. De Latijnse naam werd gekozen ter ere van de Engelse koningin Charlotte, wier naam voluit Charlotte Mecklenberg-Strelitz luidde.

De bloemen van de soort *Strelitzia* werden lange tijd botanisch ingedeeld bij de verwante familie van de bananen (*musaceae*), waartoe ook de diverse heliconiasoorten gerekend werden. Pas sinds kort beschouwt men ze als zo uniek dat ze als aparte familie worden gezien.

Er bestaan slechts drie soorten *strelitzia*, die oorspronkelijk uit Afrika stammen. Wie niet naar de tropen reist krijgt meestal alleen de *Strelitzia reginae* te zien, een bloem die vaak bij de betere bloemist verkrijgbaar is. Tegenwoordig zijn de bloemen ook in Zuid-Amerika, Florida en Hawaï te vinden:

Strelitzia nicolai
min of meer dezelfde vorm als *Strelitzia reginae*, maar de bloemen zijn wit en zachtpaars en het schutblad heeft meestal een donkerblauwe of rood-bruine kleur. Dit is de grootste van alle *strelitzia's*; zij kan in het wild een hoogte van bijna 10 m bereiken.

Strelitzia parvifolia
evenals bij *Strelitzia reginae* zijn de bloemen geel-oranje en blauw, maar de plant is iets kleiner dan *Strelitzia reginae* (tot circa 1,25 m groot).

Strelitzia reginae
de bekende en elegante bloem met haar opvallende blauw-en-oranje bloemen die uit een rood-groen beschermblad uitsteken. Deze soort wordt circa 1 tot 2 m groot.

Kleurenscala
geel en blauw, wit en mauve

Symboliek

De bloemen spelen hoegenaamd geen rol in de mythologie, maar in de taal van de bloemen maakt men door het geven van paradijsvogelbloemen duidelijk dat een belangrijke beslissing is genomen, namelijk de beslissing al het mogelijke te doen om de ander voor zich te winnen. De paradijsvogelbloem geeft aan dat er een fase is aangebroken waarin men heel serieus een aanbedene 'het hof maakt'. De paradijsvogelbloem maakt deel uit van het stadswapen van Los Angeles.

Geneeskunde en keuken

Er zijn geen belangrijke toepassingen van deze bloemen te vermelden.

Eigenschappen

Een plant die in ons klimaat niet kan groeien, behalve in een kas met precies de juiste verhouding van licht, warmte en luchtvochtigheid.

Passiebloem

Duits: *Passionsblume*
Engels: *Passionflower, Apricot vine, Maypop*

Passiflora spp.

Passiebloem- en Granadilla familie (Passifloraceae)

De naam passiebloem is een verzamelnaam voor meer dan 200 soorten die voornamelijk thuishoren in Midden- en Zuid-Amerika, een klein aantal in Azië en Australië, en een enkele soort op het eiland Madagascar. Passiebloemen behoren tot de klimplanten en er zijn een paar soorten, zoals *Passiflora careulea*, die zich inmiddels hebben aangepast aan ons klimaat en het hier goed doen op een zonnige plek. Inheemse stammen van het Amazonegebied kennen deze bloem en haar vrucht als *maracuja*.

Kleurenscala
blauw, geel, violet, wit

Symboliek
Het woord 'passie' roept bij veel mensen een beeld op van liefde of hartstocht. De symboliek rondom deze bloem waar zij haar naam aan heeft ontleend, is gebaseerd op de lijdensweg van Jezus van Nazareth, de fase van het *laatste avondmaal*, de kruisiging en de dood; een lijden dat met 'passie' wordt aangeduid in woorden zoals passiespelen, passieboek of de Mattheuspassie van Bach. Toen de Spaanse bezetters in de Midden-Amerikaanse tropen deze bloem leerden kennen, kwam een jezuïtische monnik op het idee de diver-

Passiflora caerulea

Passiflora citrina

se onderdelen van de bloem in verband te brengen met de lijdensweg van Christus: de tien bloembladeren stelden de tien apostelen voor (Judas en Petrus niet meegerekend), de drie stempels werden het symbool van de drieëenheid, en de krans van smalle gekleurde blaadjes eromheen was de doornenkroon. Tot slot werd het vruchtbeginsel geïnterpreteerd als de in azijn gedrenkte spons. Binnen het christendom is deze interpretatie niet universeel aanvaard, er zijn ook andere indelingen en interpretaties te vinden. De drie stempels of nerven symboliseren dan de nagels van het kruis, de driekleurige krans rondom het bestuivingsorgaan is ook hier de doornenkroon, maar het gesteelde vruchtbeginsel wordt gezien als symbool van de 'kelk des heren'.

Geneeskunde en keuken

In warme gebieden worden *Passiflora edula* en enkele andere soorten gekweekt om hun lekkere en vaak mierzoete vruchten die vroeger al tot het reguliere voedsel van de Inca's en andere inheemse volkeren behoorden. De vruchten van diverse soorten dragen namen als *granadilla, markisa,* of *curuba.* Deze vruchten zijn dus eetbaar en worden in onze streken meestal aangeboden in tropische vruchtendranken.

De plant bevat *alkaloïden* en andere werkzame stoffen in bloemen, bladeren en takken. Men kan er thee van trekken die dient als kalmeringmiddel bij angst, spanningen en slapeloosheid; een effect dat ook bij de stammen in het regenwoud bekend was. In Duitsland in de achttiende eeuw werd de plant zelfs gebruikt tegen epilepsie. Tegenwoordig zijn medicijnen uit *Passiflora incarnata* in veel Europese landen volledig geaccepteerd en legaal. Er wordt steeds meer onderzoek naar gedaan en er wordt steeds meer over gepubliceerd. Het bijzondere aan deze middelen is het feit dat in meer dan twintig jaar van gecontroleerde toepassing totaal geen negatieve bijverschijnselen zijn waargenomen.

Eigenschappen

Meerjarige plant, bloeit ongeveer van mei t/m augustus, kan een hoogte tot 10 m bereiken met bloemen van 5 tot 10 cm doorsnee. De bloemen worden veel door vlinders bezocht.

Passiflora violacea

Passiflora caerulea 'Constance Elliott'

Passiflora caerulea

Petunia

Petunia spp.

Nachtschadefamilie (Solanaceae)

De petunia is zo nauw verwant aan de tabaksplant (*Nicotiana* spp.) dat haar naam gebaseerd is op het Braziliaanse woord *petun*, dat 'tabak' betekent. Dit is niet helemaal ten onrechte aangezien de overeenkomst tussen deze twee planten zo groot is dat men de relatief kleine petunia met de grootbloemige tabaksplant heeft kunnen kruisen.

De eerste petunia's bereikten Europa in 1823 en 1831. Reeds enkele jaren later had zij zoveel liefhebbers voor zich gewonnen dat professionele kwekers de plant begonnen te cultiveren. Tegenwoordig bestaan er vele gecultiveerde soorten die zich aan het noordelijke klimaat hebben aangepast en in onze streken ook tot bloei kunnen komen. Al deze hybriden, waarvan *Petunia grandiflora* de bekendste is, zijn gebaseerd op de oorspronkelijk uit Zuid-Amerika komende witte (*P. axillaris*) of paarse (*P. violacea*) petunia. Inmiddels is men er zelfs in geslaagd – met behulp van moderne gentechnologie – ook gele petunia's te creëren, een kleur die bij deze bloemen in het wild volstrekt niet voorkomt. Het lijkt er

echter op dat de natuur degene is die het laatst lacht; veel zaden van gekweekte hybriden verliezen namelijk hun nieuwe eigenschappen en keren al snel terug naar hun oorspronkelijke wit of paars.

Kleurenscala
geel, rood, roze, purper, violet, wit

Symboliek
De bloemen spelen geen belangrijke rol in symboliek, heraldiek of mythologie.

Geneeskunde en keuken
Net als vele nachtschadegewassen is de petunia in principe giftig bij inname van een te grote hoeveelheid. Waar de grens ligt is op dit moment nog niet duidelijk, maar wat wij wel weten is dat Indianen uit het tegenwoordige Ecuador de plant als hallucinogeen gebruikten. Volgens Schultes en Hoffman (in *Over de planten der goden*) leidt de inname van *Petunia violacea* tot een gevoel van levitatie of zelfs een gevoel te kunnen vliegen. Verder onderzoek is nodig om de werk-

zame stoffen te isoleren en hun werking te onderzoeken, maar tot op de dag van vandaag – twintig jaar na *Over de planten der goden* – is deze informatie niet beschikbaar.

Eigenschappen

Eenjarige plant, bloeit ongeveer van mei t/m september. Haar horizontaal kruipende of hangende stengels kunnen zo'n 80 cm lang worden met kelkvormige bloemen van circa 6 cm doorsnee.

Petunia violacea hybriden

Pioen

Duits: *Pfingstrose*
Engels: *Peony, Pentacost Rose, Paeoni*

Paeonia spp.
Pioenfamilie (Paeoniaceae)

In wat oudere werken staat de pioen nog vermeld als lid van de ranonkelfamilie, maar de 33 bestaande soorten van deze plant zijn onlangs in een eigen familie ondergebracht. Oorspronkelijk kwam de pioen alleen voor in haar typerende rode tot paarsrode kleur; later zijn er ook witte, crèmekleurige en roze cultuurvarianten geteeld, niet alleen in Europa maar ook in China. De plant produceert weelderige, welriekende bloemen omstreeks Pinksteren, wat in haar Engelse en Duitse namen terug te vinden is. Pioenen zijn inheems in de noordelijke gematigde klimaatzones, van Japan en China via de steppen tot Europa en het Amerikaanse continent. Een meestal niet geurende plant met bijzondere bloemen is de zogeheten Japanse boompioen (*Paeonia suffruticosa*) die in tegenstelling tot wat haar naam doet vermoeden in China groeit, waar tal van kwekers eraan werken om nieuwe varianten te doen ontstaan.

Kleurenscala
geel, paarsrood, rood, roze, wit

Symboliek
De pioen is een zeer belangrijke bloem in China. Zij is daar de *Koningin der Bloemen* en symboliseert zowel rijkdom als aanzien en eer. In het verlengde daarvan werd de bloem tot het symbool bij uitstek voor maagdelijkheid. Het geven van een witte pioen aan een jonge vrouw was een teken dat zij niet alleen om haar schoonheid maar ook om haar verstand gewaardeerd werd; de rode pioen was een duidelijke liefdesverklaring en kon zowel door vrouwen als mannen gegeven worden. De bloem symboliseerde niet alleen maagdelijkheid, maar ook vrouwelijkheid in het algemeen. In dit opzicht is de pioen voor China en Japan wat de lotus is voor India; ten eerste een koosnaam voor een bijzonder mooie vrouw en ten tweede een duidelijk symbool voor de schoot die zich opent voor de geliefde. De gewone pioen is in China ook het bloemensymbool voor de derde maand van het jaar en de boompioen (*Paeonia arborea*) is ook nog eens het symbool van het voorjaar (zie appendix blz. 190).

In Europa heeft de bloem heel andere associaties. Voor zij met Pinksteren geassocieerd werd was zij een tover- en heksenplant. Vanwege Pinksteren werd zij tot 'goddelijke' plant verheven. Het was taboe om overdag de bloemen te plukken of de plant te verplanten; dit mocht alleen tijdens de schemering. Men geloofde dat een bloeiende pioen aan de voorgevel het huis beschermde en dat het bij zich hebben van een paar pitten bescherming bood tegen onheil en ziekte.

Geneeskunde en keuken

Zowel bij de oude geneeskundige toepassingen als tegenwoordig in de keuken gaat het alleen om de gewone rode pioen ofwel *Paeonia officinalis*. De bloem was vroeger bekend vanwege het aftreksel dat men maakte van de wortels. Dat werd gebruikt bij leveraandoeningen en om spasmen te verminderen. Dit laatste is waarschijnlijk een overblijfsel van het magische geloof dat het bij zich dragen van pioenwortel tegen epilepsie zou beschermen. Reeds in de eerste eeuw waren in Griekenland de heilzame krachten van pioenwortels al bekend. Zij zouden wel twintig verschillende ziekten kunnen genezen.

Het zaad van pioenen heeft een pittige smaak en kan als een soort specerij worden gebruikt in diverse gerechten; ook aan wijn geven de zaden na een week of twee rijping een verfijnde geur en een bijzondere aroma. Daarnaast bestaan er recepten waarbij de bloemen gestoofd worden of tot siroop verwerkt.

Eigenschappen

Bol- en knolgewas, bloeit ongeveer van mei t/m juli en bereikt een hoogte van circa 60 cm. Pioenrozen kunnen heel oud worden, soms wel meer dan 30 jaar. Er zijn zelfs wel eens pioenen gevonden die wel 100 jaar oud waren.

boven: *Paeonia suffruticosa*   onder: *Paeonia arborea*

Ridderspoor

Delphinium spp.

Ranonkelfamilie (Ranunculaceae)

De wilde of veldridderspoor (*Delphinium consolida*) is in onze streken vrijwel uitgestorven en komt voornamelijk nog voor in Oost-Europa en Turkije. De plant is met haar circa 400 soortgenoten van het geslacht *delphinium* inheems in de koelere klimaatzones, maar zij was blijkbaar niet bestand tegen het twintigste-eeuwse milieu. Wat wij wel hebben is de tuinridderspoor (*Delphinium ambigua*) en tal van kruisingen hiervan met andere delphiniumsoorten; hybriden in alle kleuren die in de laatste 250 jaar door hobbyisten en professionele kwekers gecreëerd zijn.

De natuur zelf trekt zich er echter niets van aan dat de tegenwoordige planten bedoeld zijn voor de tuin. Vaak komen de zaden toch in de vrije natuur terecht en de hybriden verwilderen soms weer. Vandaar dat wij riddersporen ook wel in bosranden of langs velden aantreffen.

Kleurenscala

blauw, roze, rood, turkoois, violet, wit

Symboliek

De oude Grieken waren echte liefhebbers van verhalen. De Griekse mythologie kent verscheidene verhalen over bloemen, bijvoorbeeld de anemoon en de hyacint, die uit het bloed van de een of andere held zijn ontstaan. Dat geldt ook voor de ridderspoor. Deze keer speelt het verhaal tijdens de Trojaanse oorlog: de legendarische held *Ajax*, onteerd en totaal ontredderd, pleegt zelfmoord en uit zijn bloed ontluikt de eerste ridderspoor.

De Grieken gaven de plant de naam *delphinium*. Zij zagen namelijk in de nog gesloten bloemknop de vorm van een dolfijnensnuit en niet, zoals in de Duitse en Nederlandse namen doorklinkt, de vorm van de metalen sporen aan de laarzen van een ridder. Van de oude Griekse mythe is waarschijnlijk ook de betekenis van de plant in de bloementaal afkomstig, waarin ridderspoor voor lichtzinnigheid en wispelturigheid staat.

Geneeskunde en keuken

Net als de andere leden van de ranonkelfamilie is ook de ridderspoor giftig, vooral de zaden en onrijpe vruchten. Er zijn van deze plant bedwelmende middelen gemaakt om bij het dobbelspel te kunnen winnen, maar ze is ook met kwaadaardiger bedoelingen gebruikt als moordwapen.

Interessant is dat *D. consolida* stoffen bevat met een bewezen insectendodende werking, terwijl *D. ajacis* vroeger uitwendig werd toe-

Delphinium consolida

Delphinium consolida

gepast, tenminste in Engeland, tegen het gif van bijen- en hommelsteken. De plant kent een lange geschiedenis van uiteenlopende toepassingen. Inheemse stammen in Amerika wonnen er blauwe kleurstof uit, in het oude Europa gebruikte men ridderspoor tegen oogaandoeningen, en er zijn aanwijzingen dat het giftige kruid ook bij levensgevaarlijke schorpioenbeten ingezet werd.

Eigenschappen

Zowel een- als meerjarige planten, die vaak twee keer per jaar bloeien – in voorjaar en zomer of in zomer en najaar – en een hoogte bereiken van 60 cm tot 1,80 m.

Roos

Rosa spp.
Rozenfamilie (Rosaceae)

De familie *rosaceae* toont een verrassende verscheidenheid aan planten waarvan de meeste eetbare vruchten dragen, van aardbei tot perzik en van amandel tot pruim. Ook in het geslacht *Rosa*, dat wil zeggen de rozen, is er een vruchtproducerende soort, namelijk *Rosa rugosa* met de bekende, vitamine C bevattende rozenbottels. Enerzijds zien wij dus dat de roos onvermoede familieleden heeft, maar anderzijds is de naam *roos* ten onrechte aan een hele reeks bloemen gegeven die noch met het geslacht noch met de familie te maken hebben. Maar het is nu eenmaal zo en het kan niet meer teruggedraaid worden. Van klaproos tot stokroos, van Chinese roos (hibiscus) tot kerstroos: het zijn geen rozen. Alleen de hondsroos of egelantier (*Rosa canina*) behoort wel tot deze familie.

De overbekende klassieke roos was voor de zestiende eeuw nauwelijks in de tuinen van Noordwest-Europa of de VS te vinden. Men kende voornamelijk de in het noorden inheemse *Rosa gallica* die wegens haar medicinale toepassingen ook apothekersroos genoemd werd. Toen echter de weelderige bloemen uit Griekenland, het Nabije Oosten en China eenmaal gearriveerd waren begon meteen de race van kweken en experimenteren die tot de overvloed aan variëteiten van nu heeft geleid. De roos werd tot 'bloem der bloemen' uitverkoren en is sindsdien niet meer weg te denken uit onze cultuur.

Kleurenscala
geel, rood, roze, perzikroze, wit

Symboliek
De roos is een overbekende en populaire bloem die door personen en groeperingen van divers pluimage gebruikt wordt om hun ideeën, waarden en normen te symboliseren: van de politiek, waar de rode roos internationaal het logo is geworden van de socialistische partijen, tot aan het christendom, waar de roos tot het teken van Jezus' martelaarschap gemaakt werd. De roos is een goed

voorbeeld om ons eraan te herinneren dat geen enkele bloem van nature iets symboliseert, maar dat de betekenis bijna altijd verzonnen is (door anderen).

Het vroege christendom bijvoorbeeld vermeed elke associatie met de roos, aangezien de bloem populair was bij de zogenaamde heidenen en een symbool van liefde en lust, orgieën en uitspattingen was. En het is immers ook een wilde roos geweest (*Rosa canina*) die de kwellende doornen leverde voor de doornenkroon. Eeuwen later zien wij een heel ander beeld. Plotseling is de roos een teken voor een rein leven zonder zonde, voor de liefde van Christus, voor de vergankelijkheid van het leven. Maria is de 'roos zonder doornen' en de vijf kroonbladeren van de roos verwijzen naar de vijf wonden

van de gekruisigde. Maar de geschiedenis kan ironisch zijn, en in het tijdperk van onophoudelijke oorlog tussen christendom en islam gebruikten de aanhangers van *Allah* gewijd rozenwater om moskeeën te zuiveren die door christelijke indringers waren bezoedeld. In de islam werd de roos namelijk geacht te zijn ontstaan uit bloed en zweet van de profeet Mohammed.

Ook in de Tarotkaarten komt de roos vaak voor, in de versie van Waite zelfs drie keer. De *Dwaas* (kaart 0) houdt een witte roos in zijn linkerhand, de *Magiër* (kaart 1) is helemaal omgeven door rode rozen en witte lelies, en de assistenten van de *Hogepriester* (kaart 5) dragen met rozen en lelies versierde gewaden. De combinatie rozen-lelies is te verklaren uit de esoterische symboliek, waarin de

kaanse staten: Georgia (*Cherokee Rose*), Iowa (*Wild Rose*) en New York. Het koninkrijk Engeland kende ooit zelfs de zogeheten Rozenoorlogen (*Wars of the Roses*, 1455-1485) waarbij het huis Lancaster met het symbool van de rode roos om de troon streed met het huis York dat als embleem de witte roos had.

Geneeskunde en keuken

Vroeger werd de roos frequent voor duizend-en-een kwaaltjes in de geneeskunde toegepast, maar tegenwoordig is het naast de bloemist voornamelijk de parfumindustrie die economisch belang heeft bij de bloemen. Maar ook in de keuken spelen zowel de bloembladeren als de rozenknoppen een rol, net als het bekende rozenwater dat voornamelijk in de Chinese en Indiase keuken gebruikt wordt. De eenvoudigste manier om rozen te verwerken is het zetten van thee van donkerrode rozenblaadjes waarvan de onderste, witte uiteinden zijn weggehaald. Na tien minuten trekken is dit een lekkere drank. Zoetekauwen voegen er nog een lepel honing aan toe.

Iets heel bijzonders zijn ingelegde rozen: onrijpe, nog groene rozenknoppen kunnen met azijn en suiker tot een beperkt houdbaar, maar zeer exclusief zoetzuur getransformeerd worden. Vooral de bloembladeren kunnen op tal van manieren gebruikt worden, mits ze onbespoten zijn en uit eigen tuin komen. Ze worden in de ochtenduren geplukt van rijpe, geurende rozen en zijn niet alleen geschikt om jam van te maken of honing mee te aromatiseren, maar ook voor verrassende recepten als gesuikerde rozenblaadjes, appelrozenschotel, rozen-kaasschotel of eieren gevuld met rozenblaadjes (zie in de bibliografie onder Buchner).

roos het mannelijke principe vertegenwoordigt en de lelie het vrouwelijke. In deze betekenis spelen de roos en de lelie dan ook een rol bij de inwijding in diverse geheime genootschappen, hetgeen zowel door kaart 1 als kaart 5 wordt aangegeven.

De roos is het bloemenembleem van diverse landen – Bulgarije, Engeland, Zuid-Korea (*Rose of Sharon*) – en van meerdere Ameri-

Eigenschappen

Meerjarige planten, bloeien ongeveer van mei t/m augustus en bereiken een hoogte van 40 tot 60 cm. Jammer genoeg zijn er tegenwoordig tal van rozensoorten in de handel die niet of nauwelijks een rozengeur hebben, terwijl de geur eigenlijk een kenmerkende eigenschap van deze bloem is.

Salomonszegel

Polygonatum odoratum, Polygonatum multiflorum

Rabarber- en boekweitfamilie (Polygonaceae)

De salomonszegel is een in het wild voorkomende bosplant met geurige, sierlijke, melkwitte bloesems. In het najaar produceert de plant mooie zwarte bessen die voor vogels eetbaar zijn maar voor de mens giftig door de aanwezigheid van diverse *glycosiden*.

Men onderscheidt de welriekende (*Polygonatum odoratum*) en de veelbloemige salomonszegel (*Polygonatum multiflorum*). Daarnaast zijn er nog enkele hybriden.

Kleurenscala
wit, groenachtig wit

Symboliek
Hoewel de naam anders doet vermoeden, speelt de salomonszegel geen bijzondere rol in de heraldiek of symboliek. De naam is gebaseerd op het feit dat de overblijvende wortelstok van deze plant – haar horizontaal kruipende ondergrondse stengel – in doorsnede min of meer op het zegel van Koning Salomon lijkt. Dat geldt ook voor de littekens van de afgestorven stengels van voorafgaande jaren; ook deze zijn te interpreteren als afdrukken van Salomons zegelring.

Geneeskunde en keuken
De oude botanische naam van salomonszegel, *Polygonatum officinalis*, wijst erop dat de plant vroeger al in de kloosters voor geneeskundige doeleinden werd gebruikt. Dezelfde stoffen die de bessen

giftig maken – een kind kan door het eten ervan zelfs sterven – zijn ook aanwezig in de wortels. Op de juiste manier bereid en toegediend werkt het glucokinine verlagend op de bloedsuikerspiegel en vochtafdrijvend. Daarnaast wordt salomonszegel zowel in de traditionele als in de moderne geneeskunde toegepast bij kneuzingen en schaafwonden; het heeft zelfs de naam open wonden te kunnen helen en gebroken botten weer aan elkaar te laten groeien. In de zeventiende eeuw werd een mengsel van salomonszegel (wortelextract) en sleutelbloem (bloembladeren) gebruikt om rimpels in het gelaat te doen verdwijnen.

Eigenschappen
Meerjarige plant, bloeit voornamelijk in gemengde bossen in de maanden mei en juni. De plant bereikt een hoogte van 60 cm tot circa 1 m en draagt kleine, hangende bloemen.
Let op: alle delen van de plant zijn giftig bij inwendig gebruik.

Sint-janskruid

Hypericum perforatum

Mangistanfamilie (Guttiferae of Hypericaceae)

Andere namen: *Johanneskruid, Duivelskruid, Heksenkruid, Wonderkruid*
Duits: *Johanniskraut, Tüpfelhartheu, Mannsblut, Hexenkraut*
Engels: *St. John's wort, Cammock, Penny John*

De leden van het geslacht *hypericum* zijn tropische planten, met als enige uitzondering het sint-janskruid. Deze plant is inheems in een groot gebied, van Europa tot aan de Himalaya, maar zij is al lang geleden over de hele wereld verspreid geraakt en groeit vrijwel overal waar de zon veel schijnt. De geneeskrachtige werking is al sinds mensenheugenis bekend. Momenteel is zij echter haar imago van ouderwets volksgeneesmiddel voorbij. Sint-janskruid is nu een grondig bestudeerd, modern medicijn geworden waar hele volksstammen, verslaafd aan haast en stress, baat bij hebben.

Bij de Romeinen was het kruid reeds bekend als *de arnica voor het zenuwstelsel*, maar tegen het einde van de twintigste eeuw kreeg het een nieuwe bijnaam: *natuurlijke prozac*. De laatste jaren zijn de faam en toepassing van *Hypericum perforatum*-producten zo toegenomen dat alleen al in Duitsland een omzet van meer dan 100 miljoen gulden behaald werd (1996) met de producten van deze plant.

Ook in Nederland is dit een trend, waarbij men ervan uitgaat dat meer dan 100.000 mensen regelmatig producten gebruiken van het sint-janskruid, dat vroeger ook duivelskruid werd genoemd.

Kleurenscala

geel

Symboliek

De plant heeft haar tegenwoordige naam gekregen door de associatie met de naamdag van Sint Jan (zie onder Kamille voor toelichting), wat aangeeft dat dit kruid als de belangrijkste geneeskrachtige plant erkend werd. Het is zeker dat de plant reeds voor de Sint-Jans-cultus als toverplant bekend was. Zo gaat het verhaal dat een persoon die op een van de bloemen trapt onmiddellijk de lucht in geslingerd wordt en een hele nacht lang een wilde galop op de rug van een vliegend paard moet doorstaan tot hij of zij volledig uitgeput en krachteloos de volgende ochtend weer terugkomt. De bloem werd geacht tal van magische krachten te hebben, van het weren van demonen tot het beschermen tegen hondsdolheid.

Geneeskunde en keuken

De werkzame stoffen van sint-janskruid zitten in stengel en blad, knoppen en bloemen. Voor het bereiden van olie voor inwendig en uitwendig gebruik worden voornamelijk bloemen en bladeren gebruikt. Sint-janskruid werd al lang geleden ingezet bij wat men waanzin en krankzinnigheid noemde, of bezetenheid door de dui-vel. De bekendste en meest gebruikte toepassingen waren uitwen-dig. Krachtige olie van goede kwaliteit biedt uitstekende hulp bij het genezen van allerlei wonden, kneuzingen of zweren. Deze toepass-ingen worden nu echter overschaduwd door de nieuwe trend: het in tabletvorm verkopen van de werkzame stoffen, waaronder *hype-ricine* en *pseudohypericine*, van het sint-janskruid als antidepressi-vum; om precies te zijn tegen neerslachtigheid, angsten, fobieën, slapeloosheid, rusteloosheid en depressies. Tal van wetenschappe-lijk verantwoorde studies hebben de positieve werking van deze middelen bewezen, maar het is zeer interessant te horen dat de mo-derne wetenschap nog niet in staat is te verklaren wat voor stoffen het precies zijn en hoe de effecten tot stand komen. Zolang dit niet bekend is, blijft het wonderkruid dus eigenlijk magisch. Het onder-zoek gaat door: van New York tot Tel Aviv wordt met de plant geëx-perimenteerd en er zijn reeds aanwijzingen dat toekomstige medi-cijnen tegen HIV en herpes mede uit dit heksen- en duivelskruid zullen bestaan.

Attentie! Het Ministerie van Volksgezondheid (VWS) heeft in fe-bruari 2000 een waarschuwing gepubliceerd dat inname van *Hy-pericum perforatum*-producten de werkzaamheid van anticoncep-tiepillen of medicijnen zoals HIV-medicijnen en antistollingsmid-delen kan beïnvloeden. Aan mensen die deze middelen in combi-natie met sint-janskruid gebruiken wordt geadviseerd contact op te nemen met hun apotheker, arts of specialist. Een ander bijver-schijnsel van sint-janskruid dat in deze tijd van ozongaten en huid-kanker wel van belang is werd echter niet vermeld. Zeer frequent of overmatig gebruik van *hypericum*-preparaten, in het bijzonder de olie, leidt tot overgevoeligheid van de huid voor licht. Extra be-scherming is daarom noodzakelijk.

Eigenschappen

Meerjarige plant, bloeit ongeveer van juni tot augustus, bereikt een hoogte van 60 cm in het eerste jaar en kan 1 m groot worden in het tweede. De plant draagt naar citroen geurende bloemen en geeft in het tweede jaar de beste oogst. De bladeren zijn bedekt met talloze doorzichtige kliertjes, waardoor het lijkt alsof het blad vol kleine gaatjes zit.

Slaapbol

Papaver somniferum
Papaverfamilie (Papaveraceae)

Andere namen: *Slaaproos, Papaver, Blauwmaanzaad*
Duits: *Mohn, Schlafmohn, Blauer Gartenmohn*
Engels: *Poppy, Blue poppy*

Het geslacht van de papavers omvat circa honderd soorten, verspreid over het noordelijk halfrond van de aarde, waaronder de gewone klaproos (*Papaver rhoeas*) en de beroemde slaaproos (*Papaver somniferum*). Ook al bevatten alle papavers soortgelijke substanties die zowel giftig zijn als van medicinale waarde, wij maken in het kader van dit boek onderscheid tussen de gewone klaproos (zie blz. 98) en de hier besproken plant die de grondstoffen levert voor zowel morfine en codeïne als opium en heroïne. De slaapbol was reeds in de oudheid bij tal van culturen bekend vanwege zijn geneeskundige en magische krachten. Zij had een vaste plek in godsdienstige rituelen en werd soms als heilige plant beschouwd, bijvoorbeeld bij de Soemeriërs circa 5.500 jaar geleden.

Kleurenscala
blauwpaars, paars, rood, wit

Symboliek
Ook in Griekenland kende men de plant en haar werking. De slaapbol werd als een goddelijk geschenk gezien en een groot aantal go-

den en godinnen is met de plant geassocieerd. Beelden van deze godinnen en goden zijn vaak versierd met de karakteristieke vorm van de zaadhoofden en ook in andere kunstvormen komt het motief regelmatig terug. Drie goden met interessante namen zijn in het bijzonder met de plant verbonden, namen die vandaag de dag nog herkenbaar zijn in psychologie en medische wetenschap:

Thanatos, god van de dood
– Freud gebruikte de naam voor de 'doodsdrift'
Hypnos, god van de slaap (broer van Thanatos)
– de woorden hypnose, hypnotherapie
Morpheus, god van de dromen (zoon van Hypnos)
– de naam morfine

In de mythen rondom diverse godinnen geeft de slaapbol rust, biedt troost, droogt de tranen en brengt ook vrede.
In het latere christendom werd dit alles min of meer overgenomen en werd de plant tot symbool van de zogenaamde gelukzalige en tijdelijke slaap; een geromantiseerd concept van de dood, die werd voorgesteld als tijdelijke slaap met de troostende droom dat ieder-

een ooit weer gewekt zal worden door het bazuingeschal van de engelen op de dag der wederopstanding.

Geneeskunde en keuken

Hoewel de slaapbolteelt internationaal aan uiterst strenge wetten en controles onderworpen is, worden de planten wel op vrij grote schaal verbouwd ten behoeve van de medicijnen codeïne (tegen verkoudheid en hoest) en morfine (pijnstiller bij extreme of langdurige pijn). De zaden van deze Papavers, die hierbij niet gebruikt worden, leveren ons het donkerblauwe maanzaad (niet giftig) voor de bekende maanzaadbroodjes en voor de in Duitsland populaire zoete *Mohnkuchen* (maanzaadkoek) die tot het standaardassortiment van veel bakkers behoort. De zaden bevatten circa 50% olie. Er zijn twee soorten maanzaadolie in de handel: de eerste persing levert maanzaadolie op voor culinaire toepassingen en de tweede persing wordt gebruikt bij de productie van verf en zeep.

Papaver somniferum

Opium (van het Griekse opion, 'plantensap'), bereid uit het sap van de zaaddozen en tegenwoordig een verboden middel, was in de eerste helft van de twintigste eeuw nog vrij verkrijgbaar in de apotheek onder de naam *laudanum*. Het werd gebruikt tegen diverse lichamelijke en psychische kwalen. In landen als Afghanistan of Laos, om er maar twee te noemen waar opium verboden is maar toch vrij gemakkelijk te koop, wordt opium niet alleen als drug gerookt maar ook als medicijn ingenomen; het is een voortreffelijk middel tegen diarree of andere darmproblemen. Opium was ook al in Soemerië en het oude Griekenland bekend.

De ontwikkeling van de uiterst verslavende heroïne heeft niets te maken met drugskartels, de *Gouden Driehoek* (Birma, Laos, Thailand) of China – integendeel. Vooral Engeland en Duitsland hebben bijgedragen, om commerciële en medische redenen, aan het gevaarlijke imago en het in de illegaliteit belanden van de slaapbol. In de beruchte Opiumoorlog (1839-1842) waren het de Engelsen die het in China verboden opium aan de bevolking opdrongen en het waren ook weer Europeanen die uit opium het nu onmisbare maar ook verslavende morfine ontwikkelden (1803, Friedrich Wilhelm Sertürner, Duitsland) en daaruit weer het uiterst gevaarlijke en nog sterker verslavende heroïne (1864, C.R. Wright, Engeland).

De diverse Europese oorlogen in die tijd veroorzaakten veel gewonden die verdovende middelen en pijnstillers nodig hadden. Vanuit deze behoefte kwam de productie van morfine op gang.

De bekende Duitse firma Bayer bracht een derivaat ervan, *diacetylmorfine*, op de markt (1897) onder de naam *heroïne*. Dit middel bleek echter erger dan de kwaal te zijn, maar toch werd het nog tot 1958 geproduceerd en onder bepaalde voorwaarden verhandeld.

Eigenschappen

Meestal eenjarige, soms tweejarige plant, bloeit ongeveer van mei t/m juli, bereikt een hoogte van 75 cm tot 1,20 m met tere bloemen van 6 tot 10 cm doorsnee en ronde, bolvormige zaadkoppen van 4 à 5 cm groot. Planten die in koele streken als de onze groeien hebben een zeer laag gehalte aan werkzame stoffen. De grondstoffen voor legale, medische toepassingen komen dan ook voornamelijk uit Iran of landen in Zuidoost-Azië.

Slaapmutsje

Eschscholzia californica

Papaverfamilie (Papaveraceae)

Het slaapmutsje lijkt qua uiterlijk eerder verwant aan de boterbloem, maar is toch een lid van de papaverfamilie. Oorspronkelijk was zij inheems in Amerika, met name in Californië en Oregon. Tegenwoordig is deze bloem ook volledig thuis in Europa. Voor de plant via Rusland het Europese continent bereikte, vroeg in de negentiende eeuw, was zij reeds door de Spanjaarden 'ontdekt' en had de naam *copa de ora* ofwel *kelk van goud* gekregen.

De botanische naam is gebaseerd op de Duitse Dr. Elsholz die zich aan boord van het Russische schip bevond dat de bloemen van de Nieuwe Wereld naar de oude bracht.

Kleurenscala
voornamelijk goudgeel en oranje,
maar ook roze en wit

Symboliek
De bloemen spelen geen rol van betekenis in symboliek of mythologie, maar zijn wel het bloemenembleem van de staat Californië. Daar is de plant beschermd en er staan hoge boetes op het plukken of vernielen ervan.

Geneeskunde en keuken

Evenals de slaapbol (*Papaver somniferum*) bevat ook deze plant giftige stoffen waardoor het tot de planten behoort die bij inname de bewustzijnstoestand van de mens kunnen beïnvloeden.

Het roken van de gedroogde bloemen geeft een euforisch effect. Zowel bloemen als zaden zijn tegenwoordig verkrijgbaar bij zogeheten *smartshops*.

Eigenschappen

Komen als eenjarige en meerjarige plant voor, bloeien van circa juli t/m oktober, bereiken een hoogte van circa 30 cm met bloemen van 5 tot 10 cm doorsnee.

Eschscholzia californica

Stokroos

Andere namen: *Uitheemse roos*
Duits: *Stockrose*
Engels: *Hollyhock, Alcea*

Althea rosea (Alcea rosea)

Katoen-, stokrozen- en malvafamilie (Malvaceae)

De herkomst van de stokroos is even mysterieus als het feit dat deze bloem alleen in tuinen groeit en helemaal niet in het wild voorkomt. Dit wijst erop dat de bloem waarschijnlijk al sinds duizenden jaren gecultiveerd wordt en zonder menselijke hulp niet meer kan overleven. Sommige deskundigen denken dat zij oorspronkelijk uit China komt, anderen menen dat Libanon en omgeving haar oorspronkelijke bakermat waren.

Ook al zien de meeste mensen deze bloem tegenwoordig voornamelijk als een lust voor het oog, zij stond gedurende lange tijd op de eerste plaats bekend als een bijzonder geneeskrachtige bloem.

Kleurenscala

geel, purper, rood, roze, wit

Symboliek

De bloemen spelen geen belangrijke rol in symboliek of heraldiek, maar er is wel een Maltese legende die verhaalt dat de stokroos een rol speelde bij de uitverkiezing van Jozef tot echtgenoot van Maria, die toen al zwanger was. Aangezien Maria nog 'maagd' was, en min of meer bovennatuurlijk zwanger was geworden, bedacht een priester dat zij voor het goede fatsoen toch een man zou moeten

hebben. Er werden tien vrijwilligers gevonden en men besloot tot een soort loting. Ieder van de tien mannen kreeg een dode tak in de hand en god werd aangeroepen om een beslissing te nemen en een teken te geven. Dit gebeurde in de vorm van een rode stokroos die plotseling op de tak van de arme timmerman verscheen en zich ontvouwde.

Geneeskunde en keuken

Het medicinale gebruik van de stokroos gaat bijzonder ver terug in de tijd. In een grot van de Neanderthalers zijn stokroosresten gevonden, samen met andere kruiden. De plant is een leverancier van uiteenlopende stoffen: de bloemen zijn een grondstof voor kleurstoffen, de wortels leveren hoogwaardig zetmeel en uit diverse delen van de plant zijn remedies te vervaardigen die een pijnstillende, hoestdempende en ontstekingsremmende werking hebben.

De gedroogde bloemblaadjes kunnen worden gedronken als thee, dieprood en geurig, maar worden ook toegevoegd aan salades. Er bestaat ook een recept waarbij jonge stokroosknoppen gekookt worden en na afkoeling gegeten. Bij de consumptie van stokrozen moet men zeker weten dat zij niet bespoten en dus giftig zijn, iets dat vaak gedaan wordt om de plant te beschermen tegen een schadelijke schimmel (*Puccina malvacearum*) die de bloemen in de negentiende eeuw bijna geheel heeft uitgeroeid.

Eigenschappen

Tweejarige plant, bloeit ongeveer van juli t/m september, bereikt een hoogte van 1,50 tot 2,20 m met bloemen van 10 tot 20 cm doorsnee.

Tulp

Tulipa spp.
Leliefamilie (Liliaceae)

Deze ogenschijnlijk zo oer-Hollandse bloem heeft haar naam te danken aan de Turks-Arabische naam voor tulband (*duliban* of *thoulipan*). Deze naam werd door Europese bezoekers per abuis opgevat als de naam van de bloemen. Dit misverstand kon ontstaan doordat men de bloemen vaak in de tulband droeg in plaats van in een knoopsgat. Eigenlijk heette de bloem *lale*, zowel in het Turks als in het Perzisch. Deze bloem, die vandaag de dag een belangrijk onderdeel is van de Nederlandse export en eveneens van het internationale imago van Nederland, werd pas laat in de zestiende eeuw vanuit Turkije naar Nederland, Duitsland en Oostenrijk meegenomen. Dit geschiedde zowel door de Vlaamse botanicus Carolus Clusius (1526-1609) als door de Vlaamse diplomaat Ogier Ghislain de Busbequ (1522-1592).

Uitgezonderd de wilde tulp of bostulp (*Tulipa sylvestris*) die in de landen rond de Middellandse Zee inheems is, komen de tulpen oorspronkelijk uit een groot gebied, van Turkije en Perzië tot aan Afghanistan en het zuidelijke Rusland. Vooral in Perzië werden de bloemen duizend jaar geleden reeds gecultiveerd, hetgeen bekend is door oude afbeeldingen. Kort na hun verschijning in Europa kreeg de tulp al een schare bewonderaars en omstreeks 1600 groeiden tulpen in vrijwel alle botanische tuinen van Europese steden, van Leiden tot Wenen en van Londen tot Parijs. De race van het kweken begon, wat ertoe geleid heeft dat wij tegenwoordig ontelbaar veel soorten tulpen kennen.

Vooral de tweekleurige bloemen waren zeer in trek. Men had geen idee hoe dit effect ontstond. De vraag naar de veranderlijke bollen werd zo groot dat er op grote schaal mee gespeculeerd werd. De tulp werd een statussymbool en de prijzen vlogen omhoog. In het bijzonder in Nederland werd een ware tulpen-manie ontketend die min of meer vergelijkbaar is met de tegenwoordige *New Economy*. Sommige speculanten werden in een klap rijk, anderen verloren al hun bezittingen. Soms werd voor een enkele bol een bedrag neergeteld van 13.000 gulden. Deze manie, met een hoogtepunt van 1634 tot 1637, eindigde in een beurskrach en een wettelijk verbod op het speculeren met tulpen in 1637.

Kleurenscala
alle kleuren

Symboliek
In de landen van hun herkomst waren tulpen een symbool voor zo uiteenlopende ideeën als troost en romantiek, faam en liefde.

Tulipa 'Prinses Irene'

Tulipa 'Apricot Parrot'

Tegenwoordig wordt de bloem vooral gezien als een liefdessymbool, waarbij de rode tulp voor een liefdesverklaring staat en de gele voor een afgewezen en hopeloze liefde. De tulp is het nationale bloemenembleem van meerdere landen: Nederland, Hongarije en Turkije.

Geneeskunde en keuken

Zowel bloembladeren als knollen zijn in principe eetbaar, maar er zijn mensen die allergisch op tulpen reageren. Zij kunnen tijdelijk last hebben van maagpijn en braken. Gekookte bollen smaken een beetje naar komkommer maar zij werden alleen maar gegeten in tijden van oorlog en echte hongersnood. Bij het eten van de bloemen, ontdaan van stamper en meeldraden, gaat het meer om een culinaire ervaring en in Angelsaksische landen bestaat er een eeuwenoude traditie van tulpen eten. De grootste liefhebber van tulpen aan tafel was beslist de schrijver Ezra Pound; hij at zelfs de tulpen op die alleen als tafeldecoratie waren bedoeld. Voorbeelden van recepten met deze bloemen zijn tulpen gevuld met appel en aardappel, of bij wijze van variatie gevuld met een mengsel van kruiden en eieren.

Eigenschappen

Bol- en knolgewas, bloeit in het voorjaar, bereikt een hoogte van een paar centimeter tot circa 1 m, afhankelijk van de soort.

Tulipa 'Texas Flame'   *Tulipa* 'Alice le Clerq'

Vingerhoedskruid

Digitalis spp.

Leeuwebek- en Toortsfamilie (Scrophulariaceae)

Vingerhoedskruid is even mooi als magisch, even nuttig als giftig. De plant staat graag op hellingen in het bos en op heidevelden maar groeit ook langs paden in de vrije natuur. De paarse *Digitalis purpurea* en de gele *Digitalis ambigua* zijn thuis in Midden-Europa, in het bijzonder in een gebied dat van Engeland uit als een brede gordel doorloopt tot aan Hongarije. Van oorsprong zijn deze planten alleen paars of geel van kleur, maar tegenwoordig bestaan er ook hybriden met andere kleuren.

Kleurenscala

geel, paars, purper, roze, rood

Symboliek

Vingerhoed, *thimble* en *Fingerhut* betekenen allemaal hetzelfde en de reden hiervoor is in de vorm van de bloemen gemakkelijk te herkennen. Deze gelijkenis heeft ook tot de botanische naam *digitalis* geleid, aangezien digit oorspronkelijk 'vinger' betekende, voor het de afgeleide betekenis 'cijfer' kreeg. De Engelse naam *foxglove* daarentegen, van *Folks' gloves* (elfenhandschoen), en *Fairy bells* (feeënklokken) brengen ons naar het rijk van oude sprookjes en legenden, heksen en tovenaars. Deze namen geven aan dat vinger-

Digitalis purpurea

hoedskruid reeds in zeer oude tijden bekend was als een soort tovenaar. Dit is een passende visie op een plant die de hartspier kan controleren en onze bloedsomloop kan beïnvloeden; een plant dus van leven en dood.

Geneeskunde en keuken
De geneeskrachtige stoffen van vingerhoedskruid worden uit de bloemen en zaden gewonnen. Reeds vroeg was de plant bekend om haar krachtige werkzame stoffen. Zij werd toegepast als ontslakkingsmiddel, bij lymfe- en klierproblemen alsmede bij epilepsie. Ook werden de bladeren als verband gebruikt om bloedingen te stelpen en de wondgenezing te bevorderen.

Tegenwoordig is de plant voornamelijk vanwege de stof *digitaline* bekend, een krachtig hartstimulerend middel. In het zeventiende-eeuwse Engeland werd digitaline een officieel erkend geneesmiddel, eerst tegen waterzucht en daarna ook bij hartkwalen. De zogenaamde ontdekker, de arts William Withering, had het geheim van vingerhoedskruid echter van een traditionele genezeres.

Aangezien de plant zeer giftig is, veroorzaken alle doses die krachtig genoeg zijn om daadwerkelijk de gewenste werking te hebben ook neveneffecten en ongewenste bijwerkingen. Het wordt dringend aangeraden middelen die *digitalis* bevatten alleen onder toezicht van huisarts of specialist te gebruiken.

Eigenschappen
Tweejarige plant, bloeit pas in het tweede jaar in de periode van juni en juli en bereikt een hoogte van circa 1,20 m.

Viooltje

Viola odorata, Viola tricolor

Viooltjesfamilie (Violaceae)

Andere namen: *Akkerviooltje, Blauwe engeltje, Eksterogen, Stiefmoederkruid*
Duits: *Veilchen, Stiefmütterchen, Dreifaltigkeitsblume, Dreifarbiges Veilchen*
Engels: *Violet, Pansy, Wild pansy, Our Lady's Delight*

Viola is een vrij grote plantenfamilie. Zij omvat circa 400 soorten, waarvan het *driekleurige viooltje* (*Viola tricolor*) en het *maartse viooltje* (*Viola odorata*) de bekendste en interessantste zijn.

Het driekleurige viooltje is een kleine geurende plant die samen met *Viola lutea* en *Viola altaica* (uit Oost-Europa en Turkije) aan de wieg heeft gestaan van alle tegenwoordige kruisingen, die vaak ook drie kleuren hebben maar toch andere namen dragen. Het oorspronkelijke verspreidingsgebied van deze viooltjes was Europa, Siberië, Klein-Azië en Noord-Afrika, maar tegenwoordig zijn zowel *Viola tricolor* als tal van hybriden vrijwel overal ter wereld te vinden.

Het veel sterker geurende maartse viooltje (*Viola odorata*) is in min of meer dezelfde gebieden thuis, behalve in het hoge noorden. Bij deze soort, ook wel *blauw engeltje* genoemd, verspreiden zowel de stengel als de bloemen een welriekende geur.

Kleurenscala

bloemblaadjes: blauw, geel, paars, violet, wit
tekening: blauw, geel, roze, wit

Viola tricolor   *Viola odorata*

Symboliek

Viooltjes werden in verschillende culturen met verschillende concepten geassocieerd en een opsomming van wat de bloemen allemaal symboliseren is dan ook vol tegenstrijdigheden. De kleine, vrolijk gekleurde bloemen staan voor zowel maagdelijkheid als vruchtbaarheid, voor bescheidenheid en paradijselijke weelde, voor deemoed en hoop, voor verleiding en speelse liefde. De aspecten deemoed, maagdelijkheid en onschuld zijn christelijke associaties die ontstaan zijn door het viooltje tot 'Mariabloem' te maken en het driekleurige viooltje tot symbool van de drieëenheid. In het victoriaanse Engeland wist men dat de bloemen in Griekenland een symbool van liefde waren geweest maar men haastte zich dit tot 'zuivere, onschuldige liefde' te maken.

In de Griekse mythologie komen viooltjes talloze malen voor. Wanneer bijvoorbeeld de godin *Persephone* (of *Kore*) jaarlijks uit de onderwereld omhoogkomt om de aarde vruchtbaar te maken groeien de bloemen op elke plek waar zij haar voeten zet. Ook *Aphrodite*, de godin van liefde en seksualiteit, werd door viooltjes gesymboliseerd en een van haar bijnamen was '*Zij die behaard is met viooltjes*'. In Phrygië, het tegenwoordige Turkije, geloofde men dat de eerste viooltjes ontstonden uit het bloed dat op de aarde stroomde toen de vruchtbaarheidsgod *Attis* zichzelf castreerde.

In de meer recente geschiedenis komen wij het verrassende gegeven tegen dat Napoleon Bonaparte, de heerszuchtige vechtjas van de achttiende en negentiende eeuw, een uitgesproken liefhebber was van viooltjes; men noemde hem zelfs *Corporal Violette* en *vader van de viooltjes*. Hij was dol op zowel de geur als de kleur van de bloemen en hij maakte het viooltje tot zijn keizerlijk symbool. Aangezien zijn aanhangers viooltjes als knoopsgatbloem gebruikten, werd het viooltje in de tijd na Napoleon in Frankrijk zelfs tijdelijk verboden.

Vandaag de dag zijn viooltjes het bloemenembleem van de Republiek San Marino, van de Canadese staat New Brunswick en van de Amerikaanse staten Illinois, New Jersey en Rhode Island.

Geneeskunde en keuken

De geur van viooltjes is moeilijk te vangen en te conserveren. De viooltjesgeur in tegenwoordige parfums is dan ook meestal kunstmatig of afkomstig van een andere plant: de iris. Wie toch echte viooltjesolie wil hebben moet weten dat voor een enkele gram ervan drie kilo bloemen nodig zijn. De bloemen worden ook gebruikt in cosmetische, verzachtende crèmes en in huidverzorgende zeep. In de kruidengeneeskunde gaat men een stuk verder: daar past men viooltjes toe bij acne, eczeem en andere huidaandoeningen. De combinatie van vitamine A en C in de bloemen, plus de kleur- en geurstoffen in de olie, heeft tot talrijke toepassingen in de geneeskunde geleid; tegen bronchitis en verkoudheid, maar ook voor ontsmetting of als laxeermiddel.

Ook in de keuken werd het viooltje vroeger vaak gebruikt, bijvoorbeeld in de vorm van een zoete siroop, de zogeheten violettensiroop. De bloemblaadjes van *Viola purpurea* en *Viola tricolore*, mits uit eigen tuin, zijn in hun geheel eetbaar en kunnen – voorzichtig gewassen en weer gedroogd – in salades en soepen gestrooid worden. Ook kan men met viooltjes een bijzonder aroma geven aan wijnazijn, suiker of cake.

Eigenschappen

Viooltjes bestaan zowel als een-, twee- en meerjarige planten, en sommige bloeien twee keer per jaar mits ze na de eerste bloeiperiode vroeg in de zomer gesnoeid worden. De planten worden meestal 10 tot 25 cm groot.

Waterlelie

Nymphaea spp.
Plomp- en waterleliefamilie (Nymphaeaceae)

Volgens Griekse mythen zijn de waterlelies ontstaan door de dood van een waternimf wier jaloezie haar tot de dood dreef toen haar liefde onbeantwoord bleef; vandaar ook de naam *nymphaeaceae* voor de familie van deze planten. In de vrije natuur komen waterlelies voornamelijk voor in de kleuren wit en blauw, de bloemen die in het oude Egypte en Griekenland vaak 'lotus' werden genoemd. In de negentiende en twintigste eeuw verschenen echter tal van kruisingen en cultivars die een grote verscheidenheid aan kleuren vertonen.

Kleurenscala
lichtblauw (*Nymphaea careulea*)
wit (*Nymphaea lotus*)

Symboliek
In Egypte waren de witte waterlelie en de papyrusplant twee nationale symbolen, waarbij de waterlelie het noorden vertegenwoordigde (Boven-Egypte) – alsmede de geestelijke macht van de farao – en de papyrus het zuidelijke deel van het rijk (Beneden-Egypte) en de wereldlijke macht van de heerser. Ook de blauwe waterlelie was een geliefd symbool op afbeeldingen van farao's;

Waterlelie in Lovina, Bali

deze bloemen werden zeer gewaardeerd vanwege hun exclusieve geur. Toen in 1922 de tombe van farao Toetanchamon werd gevonden werd, bleek zijn gehele lichaam bedekt te zijn met deze blauwe waterlelies.

De witte bloem die vaak wordt aangezien voor een lotus (zie blz. 112) was geassocieerd met tal van goden en godinnen, waarvan *Atum, Isis, Horus, Osiris* en *Ra* de belangrijkste zijn. In het bijzonder beelden van de god Osiris werden soms overdadig met deze mooie bloemen versierd.

Doordat de bloeitijd van de waterlelies of 'lotussen' in het oude Egypte samenviel met het buiten zijn oevers treden van de Nijl – waarvan Egypte afhankelijk was voor een rijke oogst – werden de bloemen tot een symbool van vruchtbaarheid en welvaart. Vanuit Egypte bereikte het symbool van de waterlelie zowel de Grieken en Romeinen als de Israëlieten, en in het christendom werd de bloem soms geassocieerd met de mythe van de 'onbevlekte ontvangenis'. In Noordwest-Europa heeft de waterlelie geheel andere associaties. Hier zag men de bloem als schuil- en verblijfplaats van waternimfen en soms als toverplant waarmee men probeerde kwade geesten of heksen te verdrijven. Diverse soorten waterlelies zijn het bloemenembleem van drie verschillende landen: Bangladesh, Guyana (*Victoria regia*) en Sri Lanka (*Nymphaea stellata*).

Geneeskunde en keuken

De dikke wortels van de witte waterlelie bevatten een aantal waardevolle stoffen voor de kruidengeneeskunde. De meeste zijn geschikt om zowel de zenuwen als de darmen tot rust te brengen. Een aftreksel van de wortelknol staat bekend als een urineafdrij-

Waterlelie in Maui, Hawaï

Waterlelie

Waterlelie in Amsterdam

vend middel en werd ook gebruikt om een te late menstruatie alsnog op te wekken.

Er zijn aanwijzingen dat de wortels van waterlelies in het oude Egypte ook gegeten werden en de Griek Herodotus schreef ooit dat hun wortels redelijk zoet smaken, maar daarmee bedoelt hij mogelijk de lotus waarmee de bloem tot op de dag van vandaag nogal eens verward wordt. De laatste jaren heeft men ontdekt dat de in Egypte veel voorkomende soorten *Nymphaea ampla* en *Nymphaea careulea* psycho-actieve stoffen als *apomorfine* en *nuciferine* bevatten, een ontdekking die eerdere aanwijzingen bevestigt dat Egyptische priesters en priesteressen de waterlelie gebruikten als bewustzijnsverruimend middel.

Eigenschappen

Er zijn circa veertig soorten waterlelies verspreid over de wereld, variërend qua bloemgrootte van 10 tot 30 cm doorsnee en qua geurnuance uiteenlopend van thee-achtig tot rozengeur. Sommige bloemen hebben de eigenschap overdag gesloten te zijn en zich alleen in de duisternis te openen, andere laten zich in het water zinken wanneer de zon ondergaat en duiken pas bij zonsopgang weer op.

Waterlelie in Lovina, Bali

Waterlelie in Berlijn

Zonnebloem

Helianthus annuus

Familie der samengesteldbloemigen (Compositae)

De zonnebloem groeit vrijwel overal in Europa zo uitbundig dat men gemakkelijk vergeet dat de plant niet inheems is en pas in de zestiende eeuw vanuit Noord-Amerika hier werd ingevoerd. De naam zonnebloem is een letterlijke vertaling van het Griekse *helios* (zon) en *anthos* (bloem) waarbij de toevoeging *annuus* (jaarlijks) er op wijst dat het een eenjarige maar wel jaarlijks terugkerende bloem betreft.

Kleurenscala
goud-geel, oranje

Symboliek
Net als de veel kleinere goudsbloem is ook de zonnebloem een zogeheten zonnevolger die zich steeds naar de zon toe draait. Dit komt overeen met een Griekse mythe waar de god *Helios* nadat hij door de *Titanen* was gedood als de zon aan de hemel geplaatst werd. *Clytia*, de geliefde van Helios, schrok er zo van dat zij ter plekke in de aarde wortelde en dag in dag uit met haar ogen en hoofd de loop van haar geliefde langs de hemel volgde.

Door het uiterlijk van de bloemen – een ronde schijf omgeven door een stralenkrans van goudgele bladeren – werd de zonne-

bloem al snel na haar intrede in Europa tot een vaak gebruikt symbool voor de zon zelf, zoals bijvoorbeeld in Tarotkaart 19: *De Zon*. In het volksgeloof hebben de bloemen, deels door hun rustgevende schoonheid en deels door de associatie met de zon, enkele magisch-bijgelovige toepassingen gevonden die alle min of meer met de vervulling van wensen verband houden:

a. Een vrouw die zwanger wilde worden werd aangeraden om zonnebloempitten te eten.

b. Iemand die een ziekte voelde aankomen moest een ketting van zonnebloempitten om de nek dragen.

c. Om de waarheid achter een mysterie te achterhalen werd 's nachts een zonnebloem onder het bed gelegd.

d. Een wens die werd uitgesproken bij het afsnijden van een bloem in de ochtend zou vast en zeker uitkomen.

Ten slotte zou ook het langdurig kijken naar een bloeiende zonnebloem sombere gedachten verdrijven: de zonnebloem als antidepressivum.

Geneeskunde en keuken

Zonnebloemzaden zijn rauw te eten maar zijn veel lekkerder als ze even worden geroosterd. Men kan ze ook samen met boter, suiker,

meel en vanille in een kwartiertje tot lekkere koekjes verwerken. Zolang de bloembladeren nog niet geel zijn geworden, zijn ook de ongeopende knoppen eetbaar die, gekookt en op de juiste manier gekruid, een delicatesse vormen. De zonnebloem wordt echter voornamelijk gekweekt voor zijn eetbare pitten en oliehoudende zaden, de bron van de in vrijwel elke keuken aanwezige zonnebloemolie. Olie van mindere kwaliteit wordt verwerkt in verf en zeep en andere cosmetica.

Niet alle soorten zonnebloemen zijn gelijk en er bestaan tal van cultivars en hybriden die lang niet alle geschikt zijn voor consumptie of om er olie van te maken, maar slechts bedoeld zijn als sierbloemen.

Eigenschappen
Eenjarige plant, bloeit ongeveer van juli t/m oktober, kan een hoogte bereiken van 40 cm tot 4 m. Zonnebloemen in de tuin helpen andere bloemen beschermen tegen bepaalde soorten schadelijke insecten.

Helianthus annuus

Zonnehoed

Echinacea purpurea
Samengesteldbloemigen (Compositae)

Veel mensen gebruiken jaar in jaar uit een product dat uit deze plant vervaardigd wordt. Uit de rode zonnehoed wordt namelijk het bekende homeopathische preparaat *Echinaforce* vervaardigd. De toepassing van deze plant als geneesmiddel was al honderden jaren bekend bij diverse inheemse volkeren van Noord-Amerika; archeologen hebben daar duidelijke bewijzen voor gevonden in een bodemlaag van omstreeks 1600. De kennis van de toepassing van geneeskrachtige planten was voorbehouden aan de medicijn-mannen en -vrouwen; en de recepten werden maar zelden aan buitenstaanders doorgegeven. De plant heeft Europa in meerdere etappes bereikt. Zij werd toen beschreven en tot geneesmiddel ver-werkt, maar vervolgens raakte de plant in onbruik om jaren later te worden (her)ontdekt.

De eerste Europeaan die de plant en een aantal eenvoudige toe-passingen ervan beschreef was L.T. Gronovious, in een boek uit 1762. Dat kreeg echter maar weinig aandacht en pas zo'n honderd jaar later herontdekte de arts Dr. H. C. F. Meyer de geneeskrachti-ge plant in Nebraska. Een middel dat hij uit de plant bereidde werd wél bekend en was zeer populair van 1880 tot 1945. Met de op-komst van de moderne antibiotica raakte het weer buiten beeld –

men geloofde immers dat men nu over iets beters beschikte dan zo'n 'ouderwets kruidenmiddeltje'. Laat in de jaren vijftig was het Black Eagle, destijds opperhoofd van de Sioux-indianen, die het geheim opnieuw openbaarde, en wel aan de Zwitserse arts Dr. Al-

fred Vogel. Die nam het zaad van de plant mee naar Europa en begon de zonnehoed op grote schaal te verbouwen. Tegenwoordig, na honderden medische publicaties en recente strikt wetenschappelijke tests, hebben de plant en de uit haar gewonnen middelen een gedegen reputatie en is zij niet meer weg te denken uit de medicijnkast.

Kleurenscala
purperrood, wit

Symboliek
De bloemen spelen geen belangrijke rol in heraldiek of mythologie, maar vanwege hun genezende krachten heeft het geven van een bos zonnehoeden de betekenis gekregen van *beterschap gewenst*.

Geneeskunde en keuken
De bekendste toepassing van de plant is beslist het homeopathische middel Echinaforce, door velen gebruikt om griep en verkoudheid te voorkomen of te bestrijden. Het werkt ook ontstekingsremmend en kan bijvoorbeeld gebruikt worden bij ontstekingen in de mondholte of aan de wortels van een kies. Aangezien de werkzame bestanddelen van de zonnehoed de eigen weerstand van het lichaam verhogen of herstellen, vormt zij ook een goede remedie tegen stress. Vroeger, omstreeks 1900, werd het middel ook ingezet bij zeer uiteenlopende aandoeningen als slangenbeten, geslachtsziekten, tuberculose of hondsdolheid. Van de negen bestaande soorten van deze plant zijn het vooral *Echinacea purpurea*,

Echinacea angustifolia en *Echinacea pallida* die in geneesmiddelen worden toegepast.

Eigenschappen
Meerjarige plant, bloeit ongeveer van juni t/m september, bereikt een hoogte van 70 cm tot 1,20 m. Vlinders bezoeken haar graag.

Appendix

Botanische Namen
van soorten en geslachten

Brugmansia sanguinea *zie* Engelentrompet
Brugmansia suaveolens *zie* Engelentrompet
Calendula officinalis *zie* Goudsbloem
Caprifoliaceae *zie* Kamperfoelie
Caryophyllaceae *zie* Anjer
Catharantus roseus *zie* Maagdenpalm
Centaurea cyanus *zie* Korenbloem
Chrysanthemum coccineum *zie* Chrysant
Chrysanthemum leucanthemum *zie* Margriet
Clematis spp. zie Clematis
Compositae zie blz. 13 en Afrikaantje, Chrysant, Dahlia, Duizendblad, Edelweiss, Goudsbloem, Kamille, Korenbloem, Madelief, Margriet, Zonnebloem, Zonnehoed
Convulvulaceae zie Klimmende winde
Dahlia varabilis *zie* Dahlia
Datura spp. *zie* Engelentrompet
Delphinium ajacis *zie* Ridderspoor
Delphinium ambigua *zie* Ridderspoor
Delphinium consolida *zie* Ridderspoor
Dianthus barbatus *zie* Anjer
Dianthus superbus *zie* Anjer
Digitalis ambigua *zie* Vingerhoedskruid
Digitalis purpurea *zie* Vingerhoedskruid
Dimorphoteca sp. *zie* Margriet
Dracunculus vulgaris *zie* Calla
Echinacea purpurea *zie* Zonnehoed

Eschscholzia californica *zie* Slaapmutsje
Fuchsia boliviana *zie* Fuchsia
Fuchsia excorticata *zie* Fuchsia
Fuchsia magellanica *zie* Fuchsia
Gardenia augusta *zie* Gardenia
Gardenia jasminoides *zie* Gardenia
Gazania rigens *zie* Margriet
Gentiana acaulis *zie* Gentiaan
Gentiana lutea *zie* Gentiaan
Gentianaceae *zie* Gentiaan
Gladiolus callianthus *zie* Gladiool
Gladiolus illyricus *zie* Gladiool
Guttiferae *zie* Sint-janskruid
Helianthus annuus *zie* Zonnebloem
Heliconia rostrata *zie* Heliconia
Heliconiaceae *zie* Heliconia
Helleborus foetidus *zie* Kerstroos
Helleborus niger *zie* Kerstroos
Helleborus orientalis *zie* Kerstroos
Helleborus viridis *zie* Kerstroos
Hemerocallis graminea *zie* Lelie
Heracleum mantegazzianum *zie* Akant
Heracleum sphondylium *zie* Akant
Hibiscus rosa-sinensis *zie* Hibiscus
Hibiscus waimeae *zie* Hibiscus
Hippeastrum puniceum *zie* Amaryllis
Hippeastrum reginae *zie* Amaryllis
Hippeastrum vittatum *zie* Amaryllis
Hyacinthus orientalis *zie* Hyacint

Hydrangea macrophylla *zie* Hortensia
Hydrangea paniculata *zie* Hortensia
Hydrangeaceae *zie* Hortensia
Hypericaceae *zie* Sint-Janskruid
Hypericum perforatum *zie* Sint-Janskruid
Ipomea acuminata *zie* Klimmende Winde
Ipomea alba *zie* Klimmende Winde
Ipomea tricolor *zie* Klimmende Winde
Ipomea violacea *zie* Klimmende Winde
Iridaceae *zie* Gladiool, Iris
Iris germanica *zie* Iris
Iris pseudacorus *zie* Iris
Jasminum grandiflorum *zie* Jasmijn
Jasminum officinale *zie* Jasmijn
Legumiosae *zie* Klaver
Leontopodium alpinum *zie* Edelweiss
Liliaceae *zie* Hyacint, Lelie, Tulp
Lilium candidum *zie* Lelie
Loganiaceae *zie* Vlinderstruik
Lonicera edulis *zie* Kamperfoelie
Lonicera fragrantissima *zie* Kamperfoelie
Lonicera periclymenum *zie* Kamperfoelie
Magnolia officinalis *zie* Magnolia
Magnoliaceae *zie* Magnolia
Malvaceae *zie* Hibiscus, Stokroos
Matricaria chamomilla *zie* Kamille
Narcissus poeticus *zie* Narcis
Narcissus pseudonarcissus *zie* Narcis
Nelumbo lutea *zie* Lotus

Nelumbo nucifera *zie* Lotus
Nelumbo pentapetala *zie* Lotus
Nelumbo speciosa *zie* Lotus
Nelumbonaceae *zie* Lotus
Nepenthes spp. *zie* Bekerplant
Nymphaea ampla *zie* Waterlelie
Nymphaea careulea *zie* Waterlelie
Nymphaea lotus *zie* Waterlelie
Nymphaea stellata *zie* Waterlelie
Nymphaeaceae *zie* Waterlelie
Oleaceae *zie* Jasmijn
Onagraceae *zie* Fuchsia
Orchidaceae *zie* Orchidee
Orchis latifolia *zie* Orchidee
Orchis mascula *zie* Orchidee
Osteospermum spp. *zie* Margriet
Paeonia arborea *zie* Pioen
Paeonia officinalis *zie* Pioen
Paeonia suffruticosa *zie* Pioen
Paeoniaceae *zie* Pioen
Papaver orientale *zie* Klaproos
Papaver rhoeas *zie* Klaproos
Papaver somniferum *zie* Slaapbol
Papaveraceae *zie* Klaproos, Slaapbol,
    Slaapmutsje
Passiflora edula *zie* Passiebloem
Passiflora incarnata *zie* Passiebloem
Passifloraceae *zie* Passiebloem
Petunia axillaris *zie* Petunia

Petunia violacea *zie* Petunia
Philadelphus coronarius *zie* Jasmijn
Physalis alkekengi *zie* Lampionbloem
Physalis peruviana *zie* Lampionbloem
Polygonaceae *zie* Salomonszegel
Polygonatum multiflorum *zie*
    Salomonszegel
Polygonatum odoratum *zie* Salomonszegel
Polygonatum officinalis *zie* Salomonszegel
Ranunculaceae *zie* Anemoon, Clematis,
    Kerstroos, Monnikskap, Ridderspoor
Rosa canina *zie* Roos
Rosa gallica *zie* Roos
Rosa rugosa *zie* Roos
Rosaceae *zie* Roos
Rubiaceae *zie* Gardenia
Scrophulariaceae *zie* Vingerhoedskruid
Solanaceae *zie* blz. 14 en Belladonna,
    Engelentrompet, Lampionbloem,
    Petunia
Solanum jasminoides *zie* Jasmijn
Strelitzia nicolai *zie* Paradijsvogelbloem
Strelitzia reginae *zie* Paradijsvogelbloem
Strelitziaceae *zie* Paradijsvogelbloem
Tagetes erecta *zie* Afrikaantje
Tagetes patula *zie* Afrikaantje
Trifolium dubium *zie* Klaver
Trifolium pratense *zie* Klaver
Trifolium repens *zie* Klaver

Tulipa spp. *zie* Tulp
Vanilla planifolia *zie* Orchidee
Vinca major *zie* Maagdenpalm
Vinca minor *zie* Maagdenpalm
Viola altaica *zie* Viooltje
Viola lutea *zie* Viooltje
Viola odorata *zie* Viooltje
Viola purpurea *zie* Viooltje
Viola tricolor *zie* Viooltje
Violaceae *zie* Viooltje
Zantedeschia aethiopica *zie* Calla

Betekenis / Bloementaal

aanmoediging in de liefde *zie* Anjer
adoratie *zie* Fuchsia
afscheid *zie* Klaver
afwijzing in de liefde *zie* Anemoon, Anjer,
    Narcis, Tulp
angst *zie* Klaproos
arrogantie *zie* Narcis
bedroefdheid *zie* Anemoon, Calla,
    Goudsbloem, Lelie (wit)
bescheidenheid *zie* Viooltje
bestendigheid *zie* Korenbloem
bewijs van toewijding *zie* Edelweiss

bloed *zie* Anemoon, Anjer, Hyacint, Monnikskap, Ridderspoor, Roos, Viooltje
boodschap *zie* Iris
bovennatuurlijke geboorte *zie* Lotus, Waterlelie
dankbaarheid *zie* Goudsbloem
deemoed *zie* Viooltje
dromen *zie* Slaapbol
eer *zie* Edelweiss, Magnolia, Pioen
eigenwaarde *zie* Dahlia
excentriciteit *zie* Fuchsia, Heliconia
faam *zie* Hibiscus, Tulp
fijngevoeligheid *zie* Korenbloem
geestelijke macht *zie* Waterlelie
gezondheid *zie* Zonnehoed
hartstocht *zie* Narcis
hoger bewustzijn *zie* Lotus
hoogachting *zie* Hyacint
hoop *zie* Klaver, Viooltje
hopeloze liefde *zie* Tulp
huwelijk *zie* Anjer, Lelie
inspiratie *zie* Heliconia
integriteit *zie* Gladiool
intuïtie *zie* Iris
karakter *zie* Gladiool
kieskeurigheid *zie* Korenbloem
kracht *zie* Edelweiss, Gladiool
kunstzinnigheid *zie* Akant, Heliconia

lang leven *zie* Chrysant
leven na de dood *zie* Akant
lichtzinnigheid *zie* Ridderspoor
liefde *zie* Anjer, Kamperfoelie, Maagdenpalm, Madelief, Roos, Tulp, Viooltje; *zie* ook aanmoediging, afwijzing
liefdesverklaring *zie* Edelweiss, Fuchsia, Pioen, Tulp
liefdevolle herinnering *zie* Goudsbloem
lijden *zie* Passiebloem
lot *zie* stokroos
loyaliteit *zie* Hyacint
lust *zie* Roos
maagdelijkheid *zie* Anjer, Pioen
martelaarschap *zie* Roos
minachting *zie* Anjer
moed *zie* Bernagie, Edelweiss
nieuw begin *zie* Amaryllis
onbeantwoorde liefde *zie* Narcis, Waterlelie
onbevlekte ontvangenis *zie* Lelie, Stokroos, Waterlelie
ongeduld *zie* Clematis
onschuld *zie* Edelweiss, Madelief
onsterfelijkheid *zie* Akant, Goudsbloem, Narcis
ontstijging *zie* Lotus
onvoorspelbaarheid *zie* Hortensia
opportunisme *zie* Hortensia

ouderdom *zie* Chrysant
overwinning van angst *zie* Edelweiss
passie *zie* Anjer, Passiebloem
pijn *zie* Akant, Goudsbloem
regeneratie *zie* Lotus
reinheid *zie* Edelweiss, Lelie, Lotus, Madelief
respect *zie* Hyacint
rijkdom *zie* Hibiscus, Pioen
romantiek *zie* Tulp
rouw *zie* Anemoon, Calla, Chrysant, Iris, Lelie
rust *zie* Kamille
schoonheid *zie* Hibiscus, Magnolia
slaap *zie* Slaapbol
tijdsbesef *zie* Margriet
toewijding *zie* Edelweiss, Hyacint
tranen *zie* Anemoon, Kerstroos, Slaapbol
transformatie *zie* Lotus
troost *zie* Klaproos, Slaapbol, Tulp
trouw *zie* Korenbloem
verdriet *zie* Anemoon, Goudsbloem
vergankelijkheid *zie* Anemoon, Roos
verlangen *zie* Narcis
verloving *zie* Anjer
verrijzenis *zie* Amaryllis, Klaver
verstikkende liefde *zie* Kamperfoelie
vlijt *zie* Clematis
vriendschap *zie* Maagdenpalm
vrouwelijkheid *zie* Lotus, Pioen

vruchtbaarheid *zie* Lotus, Madelief, Viooltje,
    Waterlelie
wedergeboorte *zie* Amaryllis, Klaver
welbespraakdheid *zie* Iris
wilskracht *zie* Gladiool
wispelturigheid *zie* Hortensia, Ridderspoor
zelfrespect *zie* Dahlia
zorgeloosheid *zie* Margriet
zuiverheid *zie* Edelweiss, Lelie, Lotus, Roos
zuivering *zie* Lotus, Roos

Bloemen als embleem van landen en staten

Bangladesh: Waterlelie
Bulgarije: Roos
Californië: Slaapbol
Duitsland: Korenbloem
Egypte: Lotus
Engeland: Roos
Frankrijk: Iris
Georgia: Roos
Griekenland: Akant
Guyana: Waterlelie
Hawaï: Hibiscus
Hongarije: Tulp
Ierland: Klaver
Illinois: Viooltje
India: Lotus
Indonesië: Jasmijn
Iowa: Roos
Japan: Chrysant
Jordanië: Iris
Louisiana: Magnolia

Maleisië: Hibiscus
Mississippi: Magnolia
Monaco: Anjer
Nederland: Tulp
New Brunswick: Viooltje
New Jersey: Viooltje
New York: Roos
Ohio: Anjer
Oostenrijk: Edelweiss
Pakistan: Jasmijn
Polen: Klaproos
Rhode Island: Viooltje
Rusland: Kamille
San Marino: Viooltje
Slovenië: Anjer
Sri Lanka: Waterlelie
Tennessee: Iris
Turkije: Tulp
Zuid-Korea: Roos
Zwitserland: Edelweiss

Goden & Godinnen *et al*

Adonis *zie* Anemoon
Allah *zie* Roos
Aphrodite *zie* Amaryllis, Anemoon,
    Viooltjes
Apollo *zie* Hyacint
Atropos *zie* Belladonna
Attis *zie* Viooltje
Atum *zie* Waterlelie
Balder *zie* Kamille
Boeddha *zie* Lotus
Brahma *zie* Lotus
Cerberus *zie* Monnikskap
Demeter *zie* Hyacint
Dionysos *zie* Kerstroos
Donar *zie* Monnikskap
Echo *zie* Narcis
Fenris *zie* Monnikskap
Freya *zie* Madeliefje
Harpocrates *zie* Lotus
Hecate *zie* Monnikskap
Helios *zie* Zonnebloem
Horus *zie* Waterlelie
Hypnos *zie* Slaapbol
Iris *zie* Iris
Isis *zie* Lelie, Waterlelie

Jahweh *zie* Engelentrompet, Kamille,
    Stokroos
Jezus *zie* Anemoon, Iris, Kerstroos,
    Passiebloem, Roos
Juno *zie* Lelie
Kore *zie* Viooltjes
Krishna *zie* Goudsbloem
Maria *zie* Afrikaantje, Goudsbloem, Iris,
    Lelie, Madeliefje, Roos, Stokroos,
    Viooltje, Waterlelie
Mohammed *zie* Roos
Moirae *zie* Narcis
Morpheus *zie* Slaapbol
Muzen *zie* Heliconia
Osiris *zie* Lotus, Waterlelie
Ostara *zie* Madeliefje
Padmasambhava *zie* Lotus
Persephone *zie* Viooltjes
Ra *zie* Waterlelie
Sekhmet *zie* Lotus
Thanatos *zie* Slaapbol
Thor *zie* Monnikskap
Titanen *zie* Zonnebloem
Vishnoe *zie* Lotus
Widar *zie* Monnikskap

Planten en het Chinese jaar

voorjaar	boompioen
zomer	lotus
herfst	chrysant
winter	pruim
maand 1	pruim
maand 2	perzik
maand 3	**pioen**
maand 4	kers
maand 5	**magnolia**
maand 6	granaatappel
maand 7	**lotus**
maand 8	kwee
maand 9	kaasjeskruid
maand 10	**chrysant**
maand 11	**gardenia**
maand 12	**slaapbol**

Noot
Chinese maanden beginnen op de dag van
de nieuwe maan en het Chinese jaar begint, volgens onze kalender, met de tweede
nieuwe maan.
Maand 1 is dus niet onze januari maar be-
slaat een deel van februari en een deel van
maart.

Bibliografie
Geraadpleegde en aanbevolen literatuur

-. *Collins Guide to Waterlilies and Other Aquatic Plants.* London: William Collins & Sons, 1989.

-. *Flora in Focus: Tropische Tuinen.* Alphen ad Rijn: Atrium, 1995.

Comte Eugene Goblet d' Alviella. *De Wereldreis der Symbolen* (1894). Amsterdam: Schors, zonder datum.

Francesco Bianchini, Francesco Corbetta & Marilena Pistoia. *De plant in de geneeskunde.* Helmond, Uitgeverij Helmond, 1976.

Lesley Bremness. *Kruiden: het complete naslagwerk voor het kweken en gebruiken.* Weert: Uitgeverij M&P, 1989.

Greet Buchner. *Bloemen op het bord.* Amsterdam, Uitgeverij Driehoek, 1997.

Jean Chevalier & Alain Gheerbrant. *The Penguin Dictionary of Symbols.* London: The Penguin Group, 1996.

Marcel de Cleene & Marie Claire Lejeune. *Compendium van rituele planten in Europa.* Gent: Stichting Mens en Kultuur, 1999.

Megam de Clercq. *Afrikaantjes in India.* Amsterdam, Bres Nr. 202, Juni/Juli 2000.

Wolfram Eberhard. *Dictionary of Chinese Symbols.* London: Routledge & Kegan Paul, 1986.

James Hall. *Hall's geïllustreerde encyclopedie van symbolen in oosterse en westerse kunst.* Leiden: Primavera Pers, 1996.

Halina Heitz. *Balkon en Kuipplanten.* Baarn: Tirion, 1996.

Vernon H. Heywood. *Bloeiende planten van de wereld.* Baarn: Thieme, 1979.

Wolf-Dieter Kaiser & Reiner R. Vetter. *Narzissus und die Tulipan: Über alte und neue Blumenzwiebeln.* Stuttgart: Ulmer Verlag, 1986.

Takashi Kijima. *Orchideeën: Wonderen van de natuur.* Helmond: Uitgeverij Helmond, 1989.

Jack Kramer. *300 Extraordinary Plants for Home and Garden.* New York: Abbeville Press, 1994.

Angela Kay Kepler. *Maui's Hana Highway: A Visitor's Guide.* Honolulu: Mutual Publishing of Honolulu, 1987.

Harry J. van de Laar. *Klim-, Lei- en Slingerplanten.* Baarn: Tirion, 1998.

Frances Perry. *Scent in the Garden.* London: Cassell Publishers, 1989.

Richard Evan Schultes & Albert Hofmann. *Plants of the Gods.* New York: McGraw-Hill, 1979.

Diana Wells. *100 Flowers and How They Got Their Names.* Chapel Hill: Algonquin Books, 1997.

C.A.S. Williams. *Outlines of Chinese Symbolism and Art Motives.* New York: Dover Publications, 1976.

Dankbetuiging

De foto's in dit boek zijn mede tot stand gekomen met de hulp van een aantal vriendelijke en behulpzame vriendinnen en kennissen. Niet alleen stelden zij hun tuin of kwekerij voor ons open, zij gaven vaak ook informatie over de exacte namen van specifieke hybriden. Wij willen deze mensen hierbij heel hartelijk danken voor hun medewerking.

Alle foto's van irissen en daglelies zijn gemaakt in de *Iris en Hemerocallis Kwekerij Freddy en Marian Joosten*, Ruttensepad 7, 8313 PM Rutten.

Alle foto's van fuchsia's zijn genomen in een mooie particuliere tuin in Purmerend, aanbeveling en bemiddeling: Leni Hulzebos te Amsterdam.

Een aantal foto's komt uit privé-tuinen: *De Tiltenberg* (Vogelenzang); Kitty Hoedjes (Obdam); Liesbeth Piloo (*Centrum Heel en Al*, Schoorl) en Anke Kamerman (Amsterdam).

Ten slotte willen wij hier ook onze waardering uitspreken voor de vele door ons bezochte openbare tuinen langs de *Hana Highway* en elders in Hawaii, voor een aantal orchideeënkwekerijen in Maleisië en Thailand, voor kleine maar goed verzorgde tuinen in Amsterdam (Nieuwe Hoofdhof en Windroosplein) en voor instellingen als *Keukenhof* en Amsterdam's *Hortus Botanicus* en hun behulpzame medewerkers. Ook bedanken wij de telefonische *Groenadviesdienst* van het tijdschrift *Groei & Bloei*, waar men ons heeft geholpen bepaalde door de auteur gevraagde bloemen te vinden of te identificeren.

Christina & Rufus C. Camphausen - Amsterdam, 2000

Bronvermelding van de foto's

Dit boek bevat 267 foto's en illustraties. Op de hieronder vermelde uitzonderingen na zijn de meeste foto's (circa 215) van **Christina Camphausen** te Amsterdam; copyright © 2000.

De uitzonderingen
Circa 45 foto's en illustraties zijn van **Rufus C. Camphausen** te Amsterdam, copyright © 2000. Dit zijn de meeste foto's bij de bekerplant, dahlia, hortensia, lampionbloem, magnolia, paradijsvogelbloem, slaapbol en stokroos plus enkele andere door het boek heen.
3 Edelweiss-foto's (blz. 52-53) zijn ter beschikking gesteld door **Armin Jagel** te Bochum; copyright © 2000.
2 Iris-foto's (blz. 87) zijn ter beschikking gesteld door **Marian Joosten** te Rutten; copyright © 2000.

Foto's zonder ondertitel:
blz. 3: *Passiflora caerulea* (Passiebloem)
blz. 10: *Kniphofia* hybride (Vuurpijl), *Nigella damascena* (Juffertje-in-'t-groen)
blz. 16: *Tulipa* sp. (Tulp)
blz. 17 van links naar rechts:
Canna Indica (Indisch bloemriet),
Etlingeria eliator (Gember soort),
Cynara scolymus (Artisjok),
Haematocephalia sp. (Calliandra),
Gazania sp. (Afrikaanse margriet)
blz. 182: *Hydrangea* sp. (Hortensia)
blz. 191: *Zinnia* sp. (Zinnia)